Les oiseaux

et l'amour

Photos : Jean Léveillé
Conception graphique : Ann-Sophie Caouette
Traitement des images : Mélanie Sabourin
Révision : Rachel Fontaine
Correction : Céline Sinclair

Certaines photographies et des extraits de quelques textes publiés
dans ce livre sont déjà parus dans l'*Actualité médicale*.

Catalogage avant publication de la Bibliothèque nationale du Canada

Léveillé, Jean
    Les oiseaux et l'amour
    1. Oiseaux - Mœurs et comportement. 2. Comportement sexuel chez les animaux.
    3. Oiseaux - Mœurs et comportements - Ouvrages illustrés. I. Titre.

QL698.3.L48 2003   598. 156'2   C2003-940523-0

Distributeurs exclusifs

- Pour le Canada
  et les États-Unis:
  MESSAGERIES ADP*
  955, rue Amherst
  Montréal, Québec
  H2L 3K4
  Tél.: (514) 523-1182
  Télécopieur: (514) 939-0406
  * Filiale de Sogides ltée
- Pour la France et les autres pays:
  VIVENDI UNIVERSAL PUBLISHING SERVICES
  Immeuble Paryseine, 3, Allée de la Seine
  94854 Ivry Cedex
  Tél.: 01 49 59 11 89/91
  Télécopieur: 01 49 59 11 96
  Commandes: Tél.: 02 38 32 71 00
              Télécopieur: 02 38 32 71 28

- Pour la Suisse:
  VIVENDI UNIVERSAL PUBLISHING SERVICES SUISSE
  Case postale 69 - 1701 Fribourg - Suisse
  Tél.: (41-26) 460-80-60
  Télécopieur: (41-26) 460-80-68
  Internet: www.havas.ch
  Email: office@havas.ch
  DISTRIBUTION: OLF SA
  Z.I. 3, Corminbœuf
  Case postale 1061
  CH-1701 FRIBOURG
  Commandes: Tél.: (41-26) 467-53-33
              Télécopieur: (41-26) 467-54-66
              Email: commande@ofl.ch
- Pour la Belgique et le Luxembourg:
  VIVENDI UNIVERSAL PUBLISHING SERVICES BENELUX
  Boulevard de l'Europe 117
  B-1301 Wavre
  Tél.: (010) 42-03-20
  Télécopieur: (010) 41-20-24
  http://www.vups.be
  Email: info@vups.be

Pour en savoir davantage sur nos publications,
visitez notre site: www.edhomme.com
Autres sites à visiter: www.edjour.com • www.edtypo.com
www.edvlb.com • www.edhexagone.com • www.edutilis.com

Dépôt légal: 2e trimestre 2003
Bibliothèque nationale du Québec

ISBN 2-7619-1780-4

Gouvernement du Québec — Programme de crédit d'impôt pour
l'édition de livres — Gestion SODEC.

L'Éditeur bénéficie du soutien de la Société de développement des
entreprises culturelles du Québec pour son programme d'édition.

Nous reconnaissons l'aide financière du gouvernement du Canada par
l'entremise du Programme d'aide au développement de l'industrie de
l'édition (PADIÉ) pour nos activités d'édition.

Les oiseaux

et l'amour

J e a n L é v e i l l é

Les rendez-vous que l'on cesse d'attendre
Existent-ils dans quelque autre univers
Où vont aussi les mots qu'on n'a pas pris le temps d'entendre
Et l'amour inconnu que nul n'a découvert

Extrait du *Rendez-vous*
Paroles de Gilles Vigneault
Musique de Claude Léveillée

À ma compagne Denise, pour son aide inestimable et son indéfectible soutien.

préface

À Tours, dès la tombée du jour, la Loire offre au promeneur un spectacle assez inusité. C'est que, ici, la nature a creusé des méandres capricieux, l'érosion a aménagé des îlots accommodés de berges sur lesquelles, à la brunante, une myriade d'oiseaux de toutes espèces viennent se reposer après une journée de va-et-vient entre terre et mer. Il y a quelques années, en compagnie d'un groupe de randonneurs gastronomes — ce n'est pas forcément incompatible —, je traversais le fleuve après un dîner remarquable et bien arrosé dans un des grands restaurants de la ville. Comme vous pouvez le penser, nous étions de fort plaisante humeur et ne nous privions point de badiner sur tout et sur rien. Comme, au milieu du pont, j'accélérais le pas, on s'empressa de me taquiner sur ma propension au vertige. Un de mes compagnons, sans doute le plus railleur, me cria : «Prends exemple sur les mouettes qui virevoltent anarchiquement autour de toi. Elles se fichent bien du vertige! De toute manière, avec la cervelle qu'elles ont...» Il fut interrompu sur sa lancée par un des nôtres qui, avec une douce autorité teintée d'ironie, lui expliqua que, tout d'abord, il ne s'agissait nullement de mouettes mais de plusieurs espèces distinctes et que, ensuite, les oiseaux en question ne souffraient d'aucune forme de déficience intellectuelle. Puis, ce passionné des oiseaux se mit à nous décrire patiemment les particularités comportementales, psychologiques et sociales de chacune des familles présentes. Cinq minutes plus tard, rassemblés autour de lui, nous goûtions littéralement chacune de ses paroles comme nous l'avions fait deux heures auparavant du vieux Chinon! C'était une merveille de l'entendre décrire les mœurs de ses amis à plume et évoquer le plaisir qu'il avait à les photographier dans leur intimité. Et, de fil en aiguille, de la brindille au nid géant, de l'oisillon au vieux mâle chasseur, de la bécasse au héron en passant par la cigogne et le malard, j'appris davantage ce soir-là sur la gent ailée que je ne l'avais fait au cours de toute mon existence.

Aussi est-ce avec un vif plaisir que j'ai accepté de présenter les propos à la fois savants, poétiques, admiratifs et humoristiques que mon ami ornithophile a rassemblés dans ce livre. Et quelle heureuse idée de s'attarder à décrire la relation amoureuse des oiseaux et leur v e affective! Certes, il y est aussi question de biologie et de reproduction. Mais tel n'est pas le but premier de l'auteur, qui a préféré entraîner ses lecteurs sur les chemins de la séduction, de la sexualité et du plaisir qu'empruntent la plupart de ces «objets volants bien identifiés», comme il se plaît lui-même à surnommer ses amis. Cette démarche ludique nous permet d'en apprendre autant sur nos propres comportements affectifs que sur les leurs. Vous serez sans doute étonnés, par exemple, d'apprendre que la plupart des oiseaux sont monogames et que plusieurs passent même leur existence avec un seul partenaire. D'autres, au contraire, à l'instar de la talève sultane de Nouvelle-Zélande, se révèlent d'impénitents partouzards. D'autres encore, comme la cigogne, construisent des nids de quelques centaines de kilos pour abriter leurs amours, tandis que la femelle du jacana domine le mâle et l'asservit sans pitié. Quant au fou de Bassan, il parcourt des distances... de fou, pour atteindre l'île qui deviendra, l'espace d'un court été, le havre de sa quête amoureuse.

Pour le plus grand plaisir des yeux, votre lecture sera agrémentée de nombreuses photos que l'auteur a réalisées au cours des voyages extraordinaires accomplis avec sa compagne et fidèle complice. Mais, en y pensant bien, cet ouvrage n'est-il pas, de la part de ces deux amoureux, une manière tout à fait originale d'exprimer la passion qu'ils éprouvent l'un pour l'autre ?

François Dompierre
Compositeur

introduction

Les oiseaux… Ils sont près de dix mille espèces, au sein de notre village global, à chanter et à nous éblouir de leurs coloris. Plusieurs espèces voltigent dans nos cités, batifolent dans nos prairies ou fréquentent nos forêts trop clairsemées. Prenons-nous le temps de les remarquer ?

Tout jeune, dans le calme du soir, j'étais fasciné par un chant mystérieux tout en musicalité : « Où es-tu, Frédéric, Frédéric, Frédéric ?… » Il s'agissait de l'appel du joli bruant à gorge blanche qui, apparemment sans succès, réclamait un ami. J'aimais encore plus m'émouvoir des silences de l'aurore souvent interrompus par les suppliques déchirantes et langoureuses d'un duo de plongeons huards en quête d'amour.

Les années ont passé, et les choses de la vie ont temporairement effacé de ma mémoire ces vibrantes vocalises. Puis l'amour est venu et, avec lui, la patience d'une compagne qui adorait observer ces créatures de plumes, les identifier, les répertorier. Passionné de photographie, je me suis équipé de téléobjectifs aux performances de plus en plus précises et gratifiantes.

Plusieurs heures de mes loisirs étaient désormais consacrées à mieux connaître ces capricieux « objets volants bien identifiés ». Ma compagne et moi étions devenus d'inséparables complices dans nos observations ; le nous et le je s'entremêlaient, alors que nous partions à la découverte de ce monde différent, souvent méconnu et combien fascinant.

Nous avons surpris les oiseaux dans leurs habitudes. Nous avons redessiné pour eux notre jardin, y plantant des arbustes et des arbres aux fruits savoureux et irrésistibles. Nous avons suspendu des mangeoires de plus en plus jolies et vu surgir dans la foule bigarrée des visiteurs des espèces souvent méconnues. Les habitués du voisinage devinrent nos familiers, les nomades, des sujets de curiosité et les oiseaux rares, nos bonheurs d'occasion. Plusieurs avaient leur mode de vie, leurs territoires et il fallut, pour les suivre, aller dans leurs habitats de plus en plus lointains. Nous y avons côtoyé des guides expérimentés et passionnés dont nous avons pu partager les secrets et les vastes connaissances. Au rythme des perfectionnements technologiques, à la lecture d'ouvrages spécialisés, nous avons appris à mieux identifier nos amis ailés, mais surtout à décoder leurs comportements amoureux souvent énigmatiques. Un cri d'alerte, un chant territorial ou un appel à l'amour se modulent différemment selon les lieux et les circonstances. Je me suis surpris à mieux observer les agissements des oiseaux, à tenter de les connaître plus intimement.

Un univers unique s'ouvrait devant mes yeux. Je notais les variations infinies de leurs tenues d'apparat, de leurs trémolos, des chorégraphies qui accompagnent des fréquentations parfois éphémères, mais le plus souvent complexes.

Quels étaient les buts de toutes ces phases d'apprivoisement, de toutes ces délicates attentions pour ne pas effaroucher l'élu ? Et en effet, pourquoi les grues ont-elles tant peaufiné ces danses de l'élégance, pourquoi le plongeon huard module-t-il avec tant de maîtrise ses appels langoureux, pourquoi toutes ces métamorphoses nuptiales ?...

C'est ainsi que s'est élaboré pour nous l'inévitable rapprochement entre l'oiseau et l'homme : l'amour, toujours l'amour, chanté, proclamé et si ardemment recherché par toutes les générations d'êtres humains. Pour célébrer l'amour, les peuples anciens, nos ancêtres, ne mimaient-ils pas leurs avances en se couvrant de plumes ? Avons-nous vraiment inventé les astuces de la quête de l'autre ou n'aurions-nous pas, au cours du long cheminement de notre évolution, été inspirés par cette avifaune aux intentions si claires et aux attentions si délicates ? Bien des questions demeurent sans réponse, bien des affirmations ne sont qu'hypothèses. Il nous reste de bien belles heures d'observation, de délicieux moments de lecture, pourvu que nous y consacrions un peu de notre précieux temps.

Le coLibri

Combien graciles et énigmatiques sont ces minuscules oiseaux-mouches aux mœurs et au comportement si difficiles à observer ! Polygames par tradition, ces égocentriques ont de bien singulières notions de la reproduction. Au moment où les mâles sont en quête d'une partenaire, ou plutôt, au moment où ils sont gagnés par cette véritable obsession a'en séduire le plus grand nombre, ils répètent des rituels, élaborent des chorégraphies, font scintiller leurs coloris aux miroitements si exceptionnels, à tel point que bien peu de femelles parviennent à leur résister.

Elles se laissent facilement étourdir par ces beaux Brummell aux promesses d'amours éternelles, par ces magiciens du paraître qu'elles croisent dans des jardins proches du paradis. À peine les effleurements de leurs cloaques sont-ils amorcés qu'ils sont interrompus par la fuite précipitée du mâle, toujours pressé d'échapper à la moindre responsabilité. Car le séducteur se préoccupe rarement de ses attributions parentales et laisse à sa compagne, outre le souvenir d'une brève passion, la charge de l'édification du nid, de la couvaison et de l'éducation des petits.

Durant ses vagabondages, ce réfractaire à toute relation stable croise de bien belles esseulées qui, parfois, le temps d'un coup de foudre, transforment un mâle insouciant en un amant passionné. À l'instar de ce colibri Madère observé aux Antilles, plusieurs malicieux se réservent de vastes territoires d'alimentation. Au cours de poursuites endiablées, ils chassent les intrus et les fureteurs, mais surtout ces mères monoparentales assez effrontées pour venir cueillir des sucs interdits sur une propriété privée.

Ayant plus d'un tour dans leur gésier, ils patrouillent la périphérie de leur fief. Ces tournées leur permettent de vider régulièrement les fleurs de leur « banlieue » de leur précieuse richesse et de faire circuler une rumeur selon laquelle les réserves de leur vaste domaine seraient totalement à sec et ne recèleraient plus la moindre sucrerie. Alors, affamées par ces graves carences, épuisées par des périples infructueux, exaspérées par les déchirantes suppliques des petits, les mères flouées, désespérées, tentent une ultime démarche. À leur plus grande surprise, elles découvrent que le royaume du mécréant dominateur recèle encore en son centre d'abondantes réserves. Après bien des essais, elles finissent par obtenir un laissez-passer les autorisant à s'approvisionner moyennant l'octroi, à chacune de leur visite, de faveurs sexuelles. Chaque mère s'est tellement investie dans la survie et l'éducation de ses jeunes qu'elle est prête à consentir à ces exigences peu communes au pays des *free as a bird*.

À la veille de tout abandonner, ont-elles vraiment le choix ? Comme dans bien des sociétés, des mères acceptent de se vendre corps et âme plutôt que de voir leurs petits s'enfoncer dans une humiliante déchéance. Mais les tâches monoparentales n'en demeurent pas moins exigeantes et épuisantes. Pour se dégourdir ou s'offrir de bien brefs moments de répit, elles ne peuvent compter que sur elles-mêmes. Rares sont les procréateurs mâles qui traînent dans les parages ou se portent volontaires pour couver les petits œufs, elliptiques et toujours blancs, même pour de courts intermèdes.

Alors, elles s'absentent durant de brèves périodes au cours desquelles, croient-elles, les caprices du temps seront limités. Sensibles à la moindre variation de température, beaucoup de rejetons meurent durant ces courses alimentaires et rejoignent les nombreux petits colibris décimés par les insecticides. Fragiles mais combien magnifiques, ces miniatures uniques des Amériques n'ont peut-être pas des mœurs « sexuellement correctes » ; cependant, ils méritent sûrement qu'on préconise un usage plus réfléchi de nos multiples pesticides. Connaissant à présent les efforts consentis par toutes ces mères esseulées, peut-être serons-nous plus soucieux de protéger leur environnement... qui est aussi, le nôtre.

Caractéristiques

Le **colibri à gorge rubis** : *Archilochus colubris* • *Ruby-throated Hummingbird*. Le seul colibri au Québec, petit oiseau de 9 cm, gorge rubis iridescente chez le mâle, dessus iridescent vert et dessous blanc chez le mâle et la femelle. **distribution** : dans la moitié Est des États-Unis, au sud du Québec. Hiverne au Mexique et en Amérique centrale. *Page 18 (en bas).*

Le **colibri madère** : *Eulampis jugularis* • *Purple-throated Carib*. Mâle et femelle identiques, oiseau plus gros que le précédent (11-12 cm), bec légèrement recourbé ; dos, tête et ventre noir velouté, gorge et thorax pourpre ardent, ailes vert doré brillant. **distribution** : Petites Antilles. *Pages 16, 17, 18 (en haut) et 19.*

DES PROMESSES D'AMOURS ÉTERNELLES DANS
DES JARDINS PROCHES DU PARADIS.

Les bicolores sont déjà là, premières migrantes comme toujours, les unes un peu essoufflées par leur long retour du Venezuela, les autres revigorées par leur séjour hivernal dans les états nord-américains. Exubérantes, ces estafettes répandent la rumeur d'un printemps qu'elles disent prochain. Déjà, des couples visitent et explorent ces nichoirs que des admirateurs ont rafraîchis durant la morte saison. Ils en ressortent, virevoltent, puis se posent sur un fil électrique ou sur de rutilants cordons de chanvre.

Aussitôt débutent les longs toilettages de leurs plumes aux reflets métalliques. Les rituels des amoureux sont ponctués de salutations et de courbettes au cours desquelles le corps du partenaire plonge vers l'avant pour mieux becqueter sans retenue l'être désiré, dans un concert de louanges et de frémissements d'ailes. Euphorique, le mâle voltige, agite ses ailes, gazouille et,

enfin, ose le geste qui peut tout nouer ou tout rompre. Il se pose directement sur le dos de sa belle et, pour éviter de culbuter avec elle, lui pince délicatement les plumes du cou. Réceptive, elle se laisse séduire, mais parfois, certaines hésitent, ne se sentant pas prêtes à tenter la grande aventure. Elles ouvrent les ailes pour empêcher l'audacieux de s'approcher davantage et reportent à plus tard ou à jamais le consentement ultime.

On observe ce phénomène chez les jeunes femelles, facilement repérables à leur dos foncé, parfois teinté de brun ou de gris. Esseulées, désespérées, sans amour, sans logis, mises au banc de la société des voltigeuses, elles tentent de squatter le nid d'une plus audacieuse. Courroucée, celle-ci réplique parfois en attaquant violemment avant de commettre, dans un accès de rage, l'irréparable « avicide involontaire ».

Difficiles à distinguer des mâles, les femelles se trahissent par leur habitude à se lover en « Y » durant les moments d'extase. Alors, les ébats se suivent et se ressemblent jusqu'au matin gris et maussade où les amoureux disparaissent sans payer la note à leur hôtelier de fortune. Après plusieurs jours, subitement, les couples accompagnent le retour du soleil et reprennent les travaux d'assemblage de brindilles, de radicelles et de tiges.

Attentif, le mâle approvisionne l'ouvrière qui, pour la finition, exige un nombre impressionnant de plumes blanches. Les plus perspicaces se félicitent d'avoir suivi les mouettes et les canards capables d'alimenter cette fantaisie de « femelles enceintes », tandis que les imprudents tentent de combler leur imprévoyance par d'audacieuses rapines chez les voisins, prompts à engager des combats parfois mortels. Par bonheur, comme par enchantement, le premier œuf vient apaiser les luttes et les tensions.

Plumes blanches, plumes isolantes qui facilitent la survie des quatre à six œufs blancs souvent délaissés par une mère aux nombreuses obligations sociales. Sans que les embryons en soient traumatisés, elle s'éloigne avec son amant pour des périodes allant de deux à quatre jours. Où vont-ils ? Que font-ils ? Week-end à deux ? Congé sabbatique ou ressourcement amoureux, nul ne pourra trancher la question.

Après bien des chasses aux insectes apparaît, dans l'entrée du logis, un enchevêtrement de petites têtes noires qui se tortillent pour mieux apprendre les voltiges en cercle, prouesse aérienne des adultes en amour. Durant les premiers jours, parents

et voisins multiplient les acrobaties, les
encouragements à les imiter, puis, brusquement selon une habitude qui leur est
propre, ils disparaissent et les abandon-
nent. Épuisés, dans la paix du crépuscule,
les jeunes se posent en rangée sur les corda-
ges et les fils électriques, telles des notes
de musique sur une portée magnétique.

Caractéristiques

L'HIRONDELLE BICOLORE : *Tachycineta bicolor • Tree Swallow*. Seule
hirondelle aux reflets verdâtres, gorge et ventre blancs, queue légèrement fourchue. Chant aux notes liquides détachées. DISTRIBUTION :
Amérique du Nord.

LES RITUELS DES AMOUREUX SONT PONCTUÉS
DE SALUTATIONS ET DE COURBETTES.

Patiemment, au fil des ans, un petit coin de paradis urbain s'est discrètement distingué. Il a été remarqué, fréquenté, puis finalement adopté par une faune ailée de plus en plus diversifiée. Un jour, une plante, le lendemain, un arbuste, puis soudain, une floraison qui répond aux besoins de visiteurs venus de loin. On ne sait trop comment ils se sont dirigés vers cette oasis mais, en ce doux matin de printemps, la surprise paraît encore plus charmante...

Ils sont cousins, elles sont cousines, et pourtant un curieux hasard ou quelque énigmatique croisement migratoire les réunit. Parfois, c'est un retour trop précoce de l'automne. Mais le plus souvent, des souvenirs de leurs amours printanières particulièrement ardentes égarent quelques bruants à tête couronnée au milieu de leurs proches parents à gorge blanche. Alors, le relais gastronomique préparé à l'intention de leurs semblables se métamorphose.

Ainsi, un matin de mai tout en délices comme seul mai sait en inventer, les bosquets murmurent des strophes familières. Quelques petites notes, limpides et légèrement traînantes, quelques sifflements appuyés d'une mélodie en rafales, inlassablement, interrogent les lieux : « Où es-tu, Frédéric, Frédéric, Frédéric ?... Où es-tu, Frédéric, Frédéric, Frédéric ?... »

Des mâles, ces précoces aventuriers à gorge blanche, veufs, jeunes célibataires ou dignes patriarches, s'éternisent en bavardages. Au cours de leur bref séjour sur le patio, ils vont, bien sûr, refaire leurs forces, mais surtout peaufiner leurs dernières stratégies de grands séducteurs. Beaucoup savent qu'au royaume des galants rien n'est jamais acquis, même la plus fidèle des conquêtes peut facilement se laisser distraire. Tout glorifié qu'il soit par nos oreilles nord-américaines, le doux chant « Frédéric, Frédéric, Frédéric » de nos forêts est dédaigné par les belles au profit de l'éclat du costume

nuptial du mâle. Inutile de si bien chanter si les coloris d'apparat ne sont pas à la hauteur des attentes de la fiancée. Au temps des amours, le pouvoir d'étaler avec prestance le lustre de ses blancs, de ses jaunes et de ses bruns est crucial. Chez les bruants à gorge blanche, l'apparence est primordiale, le chant est accessoire.

Pour la belle, le chic costume définit le costaud et prouve qu'il est capable de délimiter et de défendre un territoire suffisamment bien garni pour que toujours sa nichée soit rassasiée et comblée. Un moins bien vêtu que lui risque d'hériter de terres rachitiques, dépourvues d'insectes gras et nourrissants. Année après année, même le meilleur doit se méfier de ses camarades, de tous ces étincelants jeunots capables des plus fâcheux larcins, ceux du cœur. Les moins flamboyants, souvent des néophytes, devront se résigner à subir une année supplémentaire au sein du club des malheureux esseulés, des apprentis moins doués. Voilà l'implacable loi de la conquête des cœurs au royaume des bruants à gorge blanche : une plume mal assortie, un malencontreux éclairage et, parfois, tout peut basculer.

En ces jours fastes, tandis que les habitués à gorge blanche continuent de faire bombance, des bruants à couronne blanche, leurs lointains cousins sans doute déportés par de puissants vents, atteignent épuisés l'oasis aux mille gâteries.

Bousculé au milieu des plaines immenses du Centre et du Sud américain, en route vers ses terres natales de la taïga ou de la toundra, ce petit contingent de nomades retrouve par miracle le patio oublié depuis quelques années. Souvenirs d'un chef d'expérience, effet des vents contraires ou simple hasard, nul ne peut préciser à quel sort nous devons cette coïncidence providentielle.

De taille un peu plus forte et équipé d'un bec rosâtre ou jaunâtre plus clair que le *White-throated Sparrow* des Anglo-Saxons, ce seigneur de la famille des *Emberizidae* doit sa réputation de grande distinction à la grâce des tonalités de gris sur sa face, son cou et sa poitrine et, bien sûr, à cette couronne aux rayures noires et blanches. Plus racé, il paraît aux amateurs bien plus beau que son cousin, tandis que son chant à nos oreilles semble moins flamboyant que celui du petit Frédéric.

Une vigile, bien en poste dans les bosquets, de sa voix claire et puissante entonne le vaste recueil de chants au programme des matins de noces. Aussitôt, le chanteur se souvient de l'importance d'une maîtrise personnalisée de chaque strophe et répète ses vocalises avant l'arrivée de sa dulcinée. Au mystérieux royaume des bruants à couronne blanche, l'habit ne fait pas le moine et mieux vaut une parfaite maîtrise de la voix si on espère un jour séduire l'élue de son cœur.

Dans cette société aux têtes couronnées, la hiérarchisation passe par le timbre vocal; l'excellence des prestations deviendra capitale pour la suite des choses ou, encore, marquera l'échec de la vie sentimentale. Toujours, il y a cette femelle, la plus belle, que la voix du coquin doit charmer s'il veut espérer lui chanter la pomme…

Mais au milieu de ces égarés, parfois apparaissent quelques rejetons hybrides qui éveillent nos sens d'amateurs à des dialectes inconnus, à des modulations nouvelles de ces gorges si parfaites, de ces couronnes si belles, de ces rencontres si émouvantes… Oui, parfois l'amour fait des cadeaux !

Caractéristiques

Le **bruant à gorge blanche** : *Zonotrichia albicollis* • *White-throated Sparrow*. De la grosseur d'un moineau, gorge blanche bien marquée, taches jaunes entre le bec et l'œil, raies noires et blanches sur la tête. **distribution** : toute l'Amérique du Nord. *Pages 29, 30 et 32-33.*

Le **bruant à couronne blanche** : *Zonotrichia leucophrys* • *White-crowned Sparrow*. Bruant très élégant, couronne dressée noire et blanche, bec rosé, poitrine gris clair. **distribution** : toute l'Amérique du Nord, Cuba, côtes du golfe du Mexique. *Pages 28 et 31.*

AINSI, UN MATIN DE MAI TOUT EN DÉLICES
COMME SEUL MAI SAIT EN INVENTER,
LES BOSQUETS MURMURENT DES STROPHES
FAMILIÈRES : « OÙ ES-TU, FRÉDÉRIC,
FRÉDÉRIC, FRÉDÉRIC ?... »

Le Jacana

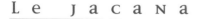

embres de la petite famille *Jacanidae*, constituée de sept espèces — ou de huit, selon certains experts —, les jacanas tiennent leur appellation des Tupi, une tribu d'Amazonie. La plupart de ces oiseaux doivent leur originalité à une inversion assez spectaculaire ces rôles sociaux et conjugaux.

Est-ce à cause de la femelle, de son gabarit plus impressionnant et plus robuste que celui du mâle? Est-ce la faute de sa grande aversion pour les tâches domestiques? Ou encore, n'est-ce pas une énigmatique métamorphose de l'alchimie hormonale? Nul ne le sait, la dame n'ayant pas encore livré ses états d'âme. Agressive, elle patrouille son territoire, en chasse les importuns sans ménagements et, bien sûr, toute rivale qui se trouve sur son chemin. L'intensité de sa colère s'exprime principalement par une vieille habitude jacana d'élever plus ou moins les ailes à la verticale. En réalité, depuis toujours, la responsabilité de la construction des nids, de l'incubation et de l'éducation des jeunes appartient au conjoint. Celui-ci doit profiter de la saison pendant laquelle les cours d'eaux et les marais sont généreux en larves et en insectes, c'est-à-dire la saison des pluies, pour ériger plusieurs îlots flottants. Une précaution essentielle, en ces lieux tropicaux et subtropicaux infestés d'estomacs affamés, veut que les parents déménagent leurs petits, ravis par ces balades sur le dos paternel, eux qui peuvent se dissimuler derrière les ailes du papa dressées vers le ciel.

Les ouvrages à peine achevés, une inspectrice se pointe pour en vérifier la robustesse. Pour cela, elle exige que le concepteur et réalisateur du nid l'invite à s'y poser et que tous deux y sautillent lourdement avant d'y vivre une relation aussi brève que passionnée. Toute défaillance d'un ouvrage entraîne une rupture immédiate du couple. Seul le site le plus résistant et le mieux protégé aura le privilège d'accueillir le fruit des entrailles de la dulcinée.

Polyandre par conviction, madame jacana rend visite simultanément ou à tour de rôle à plusieurs amants, selon les conditions environnementales plus ou moins favorables. Copuler avec quatre ou cinq camarades est de mise et plusieurs y prennent un tel plaisir que les spécialistes ont renoncé à en établir le véritable décompte.

Mais un seul aura la tâche d'incuber puis d'éduquer les rejetons et demeurera sexuellement inactif pendant au moins vingt-huit jours. Toutefois, certains individus ne dédaignent pas prolonger cette période d'abstinence de un, deux ou trois mois additionnels. À l'occasion, une amie de cœur demeurant un peu plus attachée à ses premiers émois délaisse pour un temps son dernier amant. Elle se pointe le bec chez un « ex », l'instant d'une bise. Cela lui sert souvent de prétexte pour conseiller le père de sa progéniture et l'aider au besoin à mieux défendre son territoire, surtout s'il est convoité par une rivale. Ces adeptes de partenaires multiples auraient même, dit-on, développé une capacité de retenir différents spermes afin de sélectionner les meilleurs éléments d'un spermogramme dont les paramètres demeurent pour le moment inconnus.

Parfois, le malheur frappe un pauvre père qu'un caïman a dépouillé de ses petits. Il n'est pas rare alors de voir la mère revenir auprès de l'éploré et reprendre la vie commune, le temps de regarnir la couche de jolies coquilles.

Devant cette vie sexuelle trépidante et ces mœurs désordonnées, les délibérations des sexologues se poursuivent et ne cessent de soulever de nouvelles questions. Comment l'astucieuse parvient-elle à convaincre un mâle de s'occuper d'une progéniture engendrée par de multiples partenaires ? Il semble qu'au moment de la ponte elle se fasse plus

assidue auprès de son chevalier servant préféré. L'heureux élu serait celui dont les constructions paraissent les plus résistantes aux inévitables fluctuations des flots ainsi qu'aux visites de malveillants et qui demeurent suffisamment bien camouflées pour échapper aux regards des amateurs, surtout. . s'ils sont photographes.

Caractéristiques

Tous les jacanas ont les pattes et les doigts d'une longueur démesurée.

Le jacana à poitrine dorée : *Actophilornis africana • African Jacana*. Plaque frontale bleue, cou blanc à l'avant, noir à l'arrière, poitrine dorée, reste du corps brun roux. distribution : Afrique subsaharienne. *Pages 34, 35 et 36*.

Le jacana bronzé : *Metopidius indicus • Bronze-winged Jacana*. Bec jaune, plaque frontale à peine visible ; tête, cou et poitrine noirs, dos et ailes bronzés, large bandeau blanc au-dessus de l'œil. distribution : Inde, Sumatra, Java. *Page 37 (à droite)*.

Le jacana à crête : *Irediparra gallinacea • Comb-crested Jacana*. Crête rouge rosée très voyante, menton et devant du cou blancs, joues et bas du cou dorés, dos et ailes brun foncé. distribution : nord-est de l'Australie, Indonésie, Philippines, Nouvelle-Guinée. *Page 37 (à gauche)*.

Il y a bien des années, nous roulions au pays des brouillards ; de longs filets de bruine affleuraient sur nos imperméables jaunes, bleus ou mauves et nous amalgamaient dans l'interminable marée de cyclistes d'une province de l'empire du Milieu. Le grincement de nos vieilles bécanes chinoises saluait des paysans quelque peu étonnés de rencontrer, en ces lieux perdus, des Occidentaux *« Ni hao, ni hao »*.

Nous faisions halte sur les berges d'une rivière presque noire. Les torches font s'agiter des ombres, tandis que sur la proue des barques, des lanternes découpent les silhouettes des cormorans et de leurs maîtres.

Voir à l'œuvre les survivants de cette pêche traditionnelle, ces cousins des korax ou korakos, ces corbeaux de la Grèce ancienne aux vingt-neuf espèces disséminées à travers la planète, nous enchante. Au XIIe siècle, l'usage en a fait des cormorengs ou cormoregs, des « corbeaux marins ». Depuis, plusieurs autorités des pays conquis, soucieuses de protéger la végétation que ces amateurs de grands rassemblements brûlent de leurs déjections, tentent de restreindre leurs irrésistibles élans amoureux.

Qu'ils soient grands cormorans des pêcheurs de Chine, cormorans à aigrettes de l'Amérique ou autres, au premier abord, ils présentent une tenue aux allures plutôt sombres qui, sous un éclairage propice, révèle des bleus et des verts profonds aux éclats sans cesse décuplés par les petites écailles qui tapissent leurs plumes, notamment celles des ailes.

Mais le temps des amours signe la véritable apothéose de leur exubérance qui, à certains égards, frise l'excentricité. Occasion unique plutôt éphémère que ce court intermède de trois ou quatre semaines au cours duquel ils revêtent des tenues d'apparat si excitantes qu'elles déclenchent au sein de leur colonie une frénésie sexuelle débridée. Frénésie du paraître brillant dans les miroitements verdâtres des plumes qui virent subtilement au pourpre avant d'atteindre l'incomparable achèvement des bronzes les plus finement nuancés.

Chez les cormorans à aigrettes, les muqueuses de la bouche remaquillées d'un bleu indigo éclatant offrent, à la moindre prestation vocale, un contraste saisissant avec le fond jaune orangé d'une gorge

dénudée. Les coups de gueule du mâle terrifient ses adversaires mais, magie de l'amour, séduisent les beautés en attente de leur prince. L'œil aigue-marine du prétendant est souligné d'un triangle jaune et se cercle de délicates plaquettes contrastées de vert ou de bleu et noir. De ce regard neuf et sauvage, il surveille son territoire pour, l'instant d'après, jouer de la prunelle avec une belle.

Conquise, celle qu'il choisit se rapproche de lui au moment où il projette la tête vers l'arrière de manière à presque toucher son croupion tout en poussant des cris plutôt rudes. Le bec ouvert, pour bien faire voir ses attrayantes muqueuses bleues, il laisse choir ses ailes. L'élue l'imite et reçoit la branchette que lui tend son amoureux : ils se comprennent et s'accouplent avant de se toiletter mutuellement. Les couples nouvellement appariés inventent des mimiques surprenantes, accompagnées de proclamations tonitruantes.

Le grand cormoran, celui que l'on connaît aussi en Occident, préfère le blanc pour faire sa cour. Sa pariade met en évidence une éphémère tache blanche sur chaque cuisse et un masque facial de même couleur. Sur la tête et le cou, comme pour accentuer l'effet du nouveau costume, se dessinent des plumes effilées poivre et sel.

Les costumes et les apparats sont si présents dans l'évolution chinoise qu'ils ne surprennent guère dans cette métamorphose nuptiale ayant conquis le cœur des pêcheurs. Au terme de cette longue complicité qui lie l'oiseau à son maître, lorsque la consommation quotidienne vient à dépasser le rendement et que la pêche n'assure plus aux hommes leur ration journalière, la fin est proche. Mais quelle fin peu banale !

Le pêcheur prépare un dernier repas, invite le vieux cormoran à se gaver de crustacés et de poissons exquis et ajoute à la préparation passablement d'alcool de riz. La gourmandise aura raison de l'oiseau, elle va le saouler, l'épuiser et l'endormir à jamais. S'ensuit une brève cérémonie, empreinte des mystères de l'Orient, qui le conduit vers un petit lopin où il retrouvera ses vaillants ancêtres égarés parmi les filets de brume et les brouillards laiteux qui fondent les êtres et les choses dans la Chine du cormoran. Cela se passait il y a des lustres, au temps où nous roulions sur de vieilles bécanes dans des contrées enveloppées d'écharpes nuageuses.

Depuis, la Chine a bien changé et le pêcheur sans âge élève encore quelques cormorans pour le seul plaisir de les contempler aux temps de leurs amours…

Caractéristiques

Le GRAND CORMORAN : *Phalacrocorax carbo • Great Cormorant.* Très grand : environ 92 cm. Oiseau de couleur foncée, menton, côtés de la face et, parfois, devant du cou blancs. DISTRIBUTION : Europe, Asie centrale et méridionale, Afrique, Amérique du Nord-Est, Australie. *Pages 38 (à gauche), 40 (en bas), 41 (à gauche) et 42-43.*

Le CORMORAN à AIGRETTES : *Phalacrocorax auritus • Double-crested Cormorant.* Un peu plus petit, environ 80 cm. Entièrement de couleur sombre, peau dénudée de la face orange, deux aigrettes rarement visibles. DISTRIBUTION : Amérique du Nord. *Pages 38 (à droite), 39, 40 (en haut) et 41 (à droite).*

SUR LES BERGES D'UNE RIVIÈRE PRESQUE NOIRE...

Le grand corbeau

Il est célèbre pour avoir conquis l'imaginaire des peuples. Des auteurs renommés lui ont conféré le statut de maître, et des études se poursuivent pour démontrer qu'il est le plus brillant et le plus intelligent de tous les volatiles. On pousse l'audace jusqu'à prétendre que bien des hommes, munis de plumes aussi sombres, ne pourraient supporter la compétition.

Oiseau furtif et croassant dans les forêts et les campagnes, auteur de méfaits et champion d'espiègleries ou génie de la hardiesse et de l'intelligence, le *Corvus corax* atteint une taille de 60 à 67 cm et une envergure de 1,20 à 1,30 m. Il se distingue de la corneille noire (450 à 600 g), plus répandue et mieux connue, par son impressionnant poids de 1 à 1,40 kg et par les plumes «flottantes» autour de son cou.

Pourtant amateur de falaises, d'escarpements rocheux, de côtes maritimes et de profondes forêts, un jour d'exception, un couple nous fait l'honneur de sa visite rarissime dans les montagnes Rocheuses sous un soleil radieux. Difficile de rendre la beauté de ce duo inséparable : tous deux tournent et retournent leur bec noir massif parfaitement adapté à leur étonnante silhouette. Ils font miroiter dans la lumière de belles culottes ajustées sur de robustes pattes et étalent avec grâce leur singulière queue cunéiforme assez caractéristique de l'espèce.

La formation des nouveaux couples a lieu en hiver ou au printemps et dure toute leur vie. La chose paraît peu banale lorsqu'on sait que certains individus atteignent l'âge vénérable des sexagénaires et même des centenaires, selon de récentes compilations. Peu sociables, solitaires, les corbeaux n'apprécient guère les humains et adoptent en la présence du photographe ce petit air contrarié des vedettes qui se plaisent à faire les manchettes. Familier de la région, le couple a aménagé, sur les surplombs de vertigineux escarpements, dans les creux et les fourches des arbres les plus élevés et les plus robustes, deux ou trois refuges qu'il fréquente en alternance. Durant la saison des amours, le mâle se répand en courbettes, les ailes pendantes et la queue étalée, pour mieux se placer dans la lumière qui lui fait cadeau de reflets aussi remarquables que discrets. À d'autres moments, il se suspend à une branche et, la tête à la renverse, implore les grâces de sa fiancée.

Amateur de voltiges, il prend son envol pour accomplir de périlleuses figures acrobatiques. Éblouie, désireuse de répondre à ses suppliques, sa compagne le rejoint et, pareils à d'élégants danseurs, ils se livrent tous deux au jeu de complexes arabesques. Ils s'amusent à inventer de nouvelles prouesses et, comme de jeunes amoureux, découvrent l'un et l'autre une solide complicité si essentielle au rapprochement des partenaires. La voix habituellement rauque et grave du corbeau déplaît le plus souvent, mais dans ses moments de tendresse, il sait la moduler et la rendre sensuelle aux oreilles de sa belle et de spectateurs triés sur le volet.

À l'approche de la ponte, mâle et femelle participent à la rénovation d'un nid qui peut atteindre 1,20 m d'épaisseur et de 60 à 90 cm de diamètre. Formée de robustes branches de conifères, la pièce est bordée d'écorce et de mousse. Tandis que le mâle se charge de l'épicerie, la femelle couve cinq, six ou sept œufs pendant une période de dix-huit à vingt-deux jours.

Dès leur naissance, lors d'un joyeux tumulte, les petits réclament sans cesse leur ration, souillent de leurs déjections les branches environnantes et facilitent d'autant le repérage qu'effectuent les « orniguetteurs » au cours de leurs patientes et discrètes observations. Ces derniers ont pu découvrir que les jeunes corbeaux, enjoués et avides de dépenser leur énergie dans des jeux de voltige et de dextérité, à la capture d'objets en vol, dans des confrontations avec des prédateurs plus costauds, n'avaient rien à envier à nos propres adolescents : comme eux, ils organisent des parties, se rassemblent en gangs pour mieux se connaître et socialiser et, oh surprise ! pour y rencontrer l'âme sœur.

Persécuté, calomnié comme l'ont été le loup, le renard et la belette, ses complices du long hiver, maître Corbeau, ce mal aimé, cet astucieux roublard des contes et des légendes, commence à peine à entrouvrir son monde secret où les jeux et l'amour occupent une place de choix...

Caractéristiques

Le GRAND CORBEAU : *Corvus corax • Common Raven*. Plus gros que la corneille, noir avec des reflets métalliques, bec plus épais et plus arqué que celui de la corneille, plumes du cou ébouriffées. **DISTRIBUTION** : Canada, Alaska, Groenland, ouest des États-Unis et du Mexique, Eurasie, nord de l'Afrique.

Le gabarit, le costume et le comportement d'une myriade d'êtres sont conditionnés par l'essentiel besoin de se distinguer, et, bien sûr, puisque le destin l'a voulu ainsi, par l'éternel enjeu de la vie amoureuse.

Batailleurs et guerriers, les mâles carouges ont choisi ou se sont fait imposer un costume d'ébène enjolivé, au niveau des articulations antérieures de leurs ailes, d'une tache rouge lisérée d'une bande chamois ou jaunâtre qui influence leur comportement.

Oripeaux futiles, ornements utiles, bien des théories se perdirent avant que des études sérieuses, aussi récentes que patientes, découvrent les codes complexes de ce vocabulaire subtil de signes et de parades, de ces messages capables de lier les amitiés ou de déclencher les hostilités. Une teinture noire sur les galons de ces messieurs métamorphose les conquérants en exclus.

De la taille d'un merle, le carouge à épaulettes est le *Red-winged Blackbird* des Anglo-Saxons ou le *cherriador,* ce grinçant et piailleur excité, en langue espagnole. Chaque printemps, l'arrivée par vagues successives des petits colonels venus reprendre leurs territoires déclenche de nombreux conflits entre eux. Dans un face-à-face belliqueux, ces galonnés lèvent vers le firmament leur bec droit bien fermé et font miroiter aux yeux de l'adversaire le rouge éclatant de leurs épaulettes gonflées. Après quelques secondes, pour des raisons inconnues, un des protagonistes admet la défaite, rentre la tête et baisse les épaules.

Vaincus, les plus faibles sont refoulés vers des régions moins favorisées où, installés le long des routes, perchés à égales distances sur de hautes tiges ou sur des piquets de clôtures, ils rouspètent et pestent contre leur sort injuste tout en revendiquant de nouvelles concessions.

Durant trois semaines, ces joutes bruyantes, plutôt diplo-matiques, rarement physiques, abondent. Aux antipodes de ces escarmouches, de nombreuses femelles quittent les oasis du Sud pour se joindre au défilé des vainqueurs du Nord. Et elles sont bien séduisantes, ces compagnes au dos noir brunâtre rayé de roux, de chamois ou de gris, plumage suffisamment discret pour assurer aux rejetons un prudent camouflage les protégeant mieux des incessants périls du marais. Une ligne claire au pourtour de leurs yeux enjôleurs, une autre séparant le dessus de leur tête et quelques traces rougeâtres ou orangées ajoutent un brin de fantaisie à leur livrée.

Nombreuses, les femelles se bousculent pour partager les grands domaines conquis et défendus par leurs dons Juans. Parmi ceux-ci, quelques futés, poussés par une libido débridée ou par l'audace de vouloir tout posséder, élaborent de faux nids dans le but d'attirer le plus grand nombre de femelles. Subjuguées, celles-ci tentent en vain de consolider ces leurres mal conçus avant de finir par maudire les fourbes polygames.

Certaines retardataires astucieuses ou laissées-pour-compte attendent que les femelles choisies par le maître soient débordées par les tâches «carouges». Pendant la construction du nid et au cours de la ponte et de la couvaison, ces défavorisées envahissent

à leur tour les zones des premières élues pour leur voler une parcelle de leur territoire si durement acquis. Heureux de voir son harem peuplé par des jouvencelles, le seigneur des lieux redouble de vigilance et attaque à fond de train tout concurrent ou intrus qui viole ses terres. Malheur à tout « orniguetteur » dépourvu de couvre-chef qui, ignorant les tchuck ! tchuck ! d'alerte, ose franchir la zone de sécurité protégée par le bec pointu de ce guerrier armé pour infliger de douloureuses lacérations.

Puis, un peu plus tard, en fin d'été, une des espèces ailées les plus nombreuses en Amérique disparaît et semble s'évanouir sans laisser de trace. Aucune manchette médiatique ne signalera cette éclipse aussi

soudaine que temporaire. Ces personnages, d'ordinaire si bruyants et tapageurs, obéissant à leur instinct, subitement se retirent aux confins de leurs repaires les plus reculés, nous laissant dans un silence impressionnant. Désemparés, jeunes et vieux, pauvres et puissants voient disparaître leur smoking de gradé ou leur robe nuancée.

Cette mue automnale les dépouille de leur identité, mais surtout de ces épaulettes qui leur donnaient une contenance et les portaient à dominer. Et les petits colonels rêvent que reviennent vivement leurs plumes éclatantes. Rêve qui habite aussi les hommes pour qui le vêtement est devenu langage,

code et symbole. Symbole sexuel, social et personnel auquel s'ajoutent les nuances colorées, les parures originales, les formes nouvelles et audacieuses. Mode qui corrige les imperfections ou mode tyrannique qui ne sied qu'aux exceptionnelles beautés.

Mode selon laquelle quelques plumes, quelques centimètres de dentelle, quelques galons sur un uniforme font soupirer les cœurs et chavirer les esprits.

Le caroUge à épaulettes : *Agelaius phoeniceus • Red-winged Blackbird*. Mâle : de la grosseur d'un merle d'Amérique, plumage noir brillant ; épaulettes : taches rouges bordées d'une bande chamois ou jaunâtre aux parties inférieures. Femelle : dessus brun, dessous fortement rayé, parfois traces rosées derrière l'œil. **DISTRIBUTION :** toute l'Amérique du Nord, sauf l'extrême Nord, le Mexique et l'Amérique centrale. ⌁

au-dessus de notre faré, timidement, les alizés bercent des palmiers qui, assez curieusement, paraissent roucouler. Nos regards s'interrogent, puis, incrédules, parviennent à décoder les voix d'un duo de fées du Pacifique. Au sommet d'un géant, un couple de gygis blanches s'émeut d'amour. Les amoureux échangent sans doute des promesses qui se veulent éternelles.

Elles sont nos surprises d'un premier matin sous les latitudes du repos, ces sternes tropicales à l'élégance si délicate que seules des plumes immaculées les habillent. Elles sont ces oiseaux au bec long et mince, ce glaive redoutable qui patrouille la crête des flots et répand la mort. De leurs grands yeux noirs qui nous semblent un peu démesurés, de l'aube au crépuscule, sans hésiter, les gygis repèrent tout imprudent, surtout s'il se prénomme calmar. Mais, en d'autres circonstances, comme il sait se faire câlin, ce bec acéré, prodiguant caresses et titillements.

Parcimonieusement disséminés dans quelques refuges des trois grands océans, quelques spécimens attirent des quatre coins de la planète l'attention de ceux qui savent s'accorder quelques moments d'extase.

Leur tête volumineuse laisse une impression de silhouette légèrement trapue rapidement rachetée par la fluidité et l'élégance du vol. Des ailes larges et arrondies deviennent translucides en contre-jour et accentuent l'auréole de mystère de ces êtres curieux mais trop peu farouches.

Une telle beauté des îlots du Sud ne peut concevoir une existence accaparée par de durs labeurs et, phénomène plutôt rare en ornithologie, ne gaspillera ni temps ni énergie à bâtir un nid. Méticuleusement, la belle recherche plutôt un léger renfoncement, idéalement situé à la croisée de trois vigoureuses et hautes branches. Elle y dépose un seul œuf. Quelques duos préfèrent l'arête d'un rocher ou des élévations aux accès périlleux. Pour réduire les risques d'une chute fatale de leur unique rejeton, mâle et femelle limitent leurs mouvements d'un commun accord et échangent leur rôle de parent incubateur tous les deux ou trois jours. Ce moment de la relève de la garde s'accompagne d'infinies précautions, mais surtout de nombreuses manifestations d'amour. Il n'est pas rare d'observer une

Gygis alba charger son gosier d'une quinzaine de poissons pour réduire à deux ou trois par jour les repas gastronomiques particulièrement périlleux pour un rejeton encore malhabile et inexpérimenté.

Couvé, éduqué sur une branche nue, le poussin aux pieds résistants et aux griffes tranchantes doit apprendre à bien se cramponner et à maîtriser les jeux d'équilibre d'un sans-abri. Il doit apprendre à résister aux violentes bourrasques, assez fréquentes sous ces latitudes. Facilement reconnaissable à sa tache sombre derrière l'œil, à un soupçon de brun sur sa nuque et à son dossard blanc grisâtre, le jeune prétendant devra abandonner toutes ses mouchetures brunes pour accéder au statut d'oiseau fée mature.

Cette beauté aux fines pattes bleu acier ne saurait être confondue avec quelque homonyme. Adulée par les premiers occupants, elle finissait par oublier le danger. Mais l'arrivée de marins vagabonds qui, au nom de leurs souverains, partaient à la recherche du paradis perdu allait tout modifier. À peine ont-ils abordé les havres de ces fées du ciel qu'ils y ont fait la loi. Pour favoriser leur gibier préféré et peupler

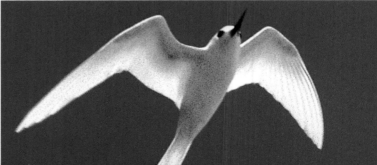

les prés de veaux, vaches, moutons et couvées, ils ont rasé les forêts. Ils ont trouvé en la chair des gygis une gastronomie nouvelle et fait de leurs œufs des délices suprêmes. En quelques années, les rats dodus de chaque escale et leurs éternels ennemis, les chats, en réclamant l'asile ont achevé l'hécatombe. Des spécialistes mesurent aujourd'hui l'ampleur des dégâts en comptant les ossements des oiseaux disparus dans les cendres des feux de cuisine, et ils sont légion.

Menacés d'extinction, ces symboles du merveilleux et de l'amour se sont présentés au-dessus des farés du progrès. Bien peu de vacanciers les ont remarqués. Mais un couple et leur descendant venus au-devant de mon 800 millimètres ont plaidé leur droit à la vie... leur droit à l'amour. Je leur ai promis de faire part de leur détresse...

Caractéristiques

La GYGIS BLANCHE : *Gygis alba • White Tern.* Blancheur immaculée à l'année, tête d'aspect volumineux, yeux noirs démesurés, long bec mince, noir aux reflets bleutés, pattes bleu acier. DISTRIBUTION : plutôt rare, îles tropicales des océans Pacifique, Atlantique et Indien.

timidement, les alizés bercent des
palmiers qui, assez curieusement,
paraissent roucouler.

au-dessus d'une île solitaire, des envolées bruyantes épient la progression de notre petit canot pneumatique. Finalement, les toussotements du moteur se taisent et laissent la marée montante imperceptiblement nous rapprocher de belles plages. Incommodées par notre approche, quelques sentinelles blanches à calotte noire et au bec particulièrement acéré lancent à la volée des alertes plus stridentes.

Cris d'alarme, vociférations hostiles ou élans de panique s'enchevêtrent avant de se confondre en une immense clameur. Les murmures s'amplifient et déclenchent l'envol de dizaines, de centaines de voltigeurs. Beaucoup profitent de la confusion pour s'éloigner vers le large et se jeter sur leurs victimes. Ils réapparaissent, le bec chargé à ras bord de petits butins tout grouillants. Sur le chemin du retour, une armée d'affamés et d'amoureux frustrés ou éconduits multiplient les embuscades.

Plus près de nous, indifférents à toute cette cacophonie frénétique, des duos se sont formés et, calmés, ils virevoltent en tandems. Ils s'élèvent, se laissent porter par les chauds courants, puis piquent vers le sol, frisent la catastrophe jusqu'à l'instant où, reprenant brièvement leurs esprits, ils se redressent. Épuisés, amants et amantes se ressaisissent, puis se posent sur le sable tout blanc. À peine atterri, dans une pirouette spectaculaire, le prétendant se retourne et tend sa précieuse capture à la belle tant convoitée. La dulcinée hésite, jette un œil plus critique, jauge la qualité et, polie, salue l'habileté du pêcheur. Le plus souvent, elle consent à déguster l'offrande, mais parfois, et c'est de très mauvais augure, elle se contente de la recueillir mollement du bout du bec.

Certaines, plus rusées, jouent les responsables de l'alcôve et exigent un approvisionnement constant de ces délices de la mer. Tout pourvoyeur indolent ou récalcitrant se voit prestement abandonné sans autre forme d'avis.

Excités par ces manèges, de nombreux témoins se rapprochent, par simple curiosité, mais le plus souvent avec l'espoir de profiter d'un moment d'inattention pour déguerpir avec un délicieux dessert. Ainsi commence dans la plupart des grandes familles de sternes le lent processus d'appariement de couples entièrement soumis à la décision de la femelle. Chaque prétendant, du plus expérimenté au simple débutant, doit pleinement mériter la confiance d'une jolie astucieuse. Avant d'accepter de participer à une envolée compromettante, cette dernière a longuement observé les incessants survols des vaniteux au-dessus de la colonie. Elle a tenté de repérer parmi eux le plus déterminé, le plus apte à défendre avec courage la petite cuvette hexagonale qui sera leur logis. Espiègles, ces dames savent apprécier à leur juste valeur les talents de cleptomane des plus audacieux.

Chez la sterne royale, l'allure un peu *punk* de cette tête capable de redresser ses plumes pour menacer un rival ou chasser un intrus semble constituer un puissant aphrodisiaque.

Devenus complices, les partenaires décrivent des cercles, abaissent et relèvent leur bec et leurs ailes en poussant des petits cris étouffés, échangent une dernière prise avant de féconder la vie. Ces démonstrations produisent un effet magique sur de nombreux couples qui s'empressent de les imiter. Avec sa taille de 40 à 46 cm de hauteur et son envergure de 92 à 97 cm, la sterne royale se classe juste derrière la plus grande de toutes les sternes, la sterne caspienne, cette *Hydroprogne caspia* de la grosseur d'un goéland à bec cerclé, qui est parfaitement adaptée à la vie maritime et terrestre.

La sterne royale adore les grands rassemblements, les regroupements denses sur des îles isolées, interdites aux ratons laveurs et à tous les prédateurs capables de ravager les sanctuaires mal protégés. Elle privilégie les espaces sablonneux et plats, sans cesse remodelés par les vents et marées, qu'elle partage volontiers avec les autres groupes de la confrérie des sternes. Dès leur adolescence, les néophytes doivent s'astreindre à de longues séances de voltige. Voler à 10 ou 20 m au-dessus des flots, s'immobiliser, repérer une proie appétissante et de bonne taille, foncer, plonger, puis, avec les ailes, nager pour la rattraper, rien de tout cela n'est acquis. Il faut sans

s'étouffer ressortir la prise agitée. Il faut se méfier de l'écrevisse prête à livrer chèrement sa carapace, du mollusque cherchant à s'esquiver. Malgré de grandes fatigues, malgré les nombreux brigands prêts à les dévaliser, jamais la moindre défaillance ne devra affecter le courageux couple et mettre en péril les nouvelles générations. Au voisinage d'une petite île, au pays des sternes, contre vents et marées, de nos jours comme depuis toujours, ces règles de vie guident les lois de l'amour.

Caractéristiques

La sterne royale : *Sterna maxima* • *Royal Tern.* Grande sterne à la calotte noire ébouriffée, gros bec orangé plutôt effilé, queue four-chue. distribution : côtes est et ouest des États-Unis, Mexique, Amérique centrale, Amérique du Sud, Antilles, ouest de l'Afrique.

Ils sont à l'état sauvage dans quelques refuges encore préservés. Ils font œuvre de beauté sur les cours d'eau ou se laissent admirer près d'une fontaine publique. Depuis toujours, leur vie fascine, tout comme leurs rivalités et leurs amours tumultueuses. Habillé de plus de 25 000 plumes, leur physique impressionnant se pare de l'autorité des puissants dès les premiers éveils du printemps. Les couples, unis pour la vie, renouvellent leur engagement. Les esseulés, les vagabonds, les célibataires, s'ils souhaitent quitter leur solitude et adhérer à cette vie de partenaires scellée pour le reste de leur existence, doivent signifier leurs aspirations aux belles qui sont encore libres. Acquérir un territoire, en délimiter les bornes raisonnables, parfois démesurées, pouvoir impressionner suffisamment les prétendants pour éviter les pugilats, tout cela occupe les premières pensées du néophyte et de l'oublié. Mais ils sont nombreux et rarement d'accord sur la marche à suivre. Afin de restreindre les combats néfastes et épuisants, ils ont inventé des gestes, des dérobades, des danses pouvant raffiner leurs prétentions.

Alors chacun manifeste clairement ses intentions. Aux vocalises des uns, aux gestes sans équivoque des autres s'ajoutent des interpellations capables de faire se démarquer les meilleurs. Parfois, les forces semblent égales dans ces combats faits à coups d'ailes et d'agressives prises de bec. Souvent sanguinaires, rarement meurtrières, ces luttes de pouvoir ont pour enjeu les gains territoriaux, le partage des aliments et le droit aux fiançailles. Se jouant et se concluant prématurément chez certains individus, ces alliances unissent des couples bien avant leur pleine maturité sexuelle, ce qui ne cesse d'étonner les observateurs. Avec pour conséquence que des couples pourtant magnifiques et fidèles pratiquent une abstinence qui laisse perplexe. Ces adolescents immatures, mais promis l'un à l'autre, doivent prolonger leurs fiançailles d'année en année. Parfois, en l'absence d'un territoire disponible, leurs comportements chastes perdurent durant ces rudes années de crise du logement. On les voit errer, parmi les longues herbes, se contentant de faucher des brindilles. Une fois établi, le duo se morfond à chasser les importuns, pour mieux faire alliance devant ces prétentieux.

Une cérémonie, pendant laquelle les deux partenaires s'élèvent majestueusement sur leurs pattes, dressent le cou, déploient les ailes et vocalisent bruyamment, marque leur triomphe.

Le terrain finalement conquis, la véritable parade nuptiale peut s'amorcer. Dans un face-à-face sublime, le mâle hérisse les plumes de son cou tout en remuant la tête de droite à gauche. Les mêmes gestes repris par la fiancée signent le consentement ultime. On assiste alors à un véritable ballet endiablé, un entre-lacement d'ailes déployées et de cous dressés. Des simulacres d'accouplement précèdent souvent les véritables échanges procréateurs. Les règles d'apparat et les frémissements subtils incitent le mâle à s'élever au-dessus de la femelle afin de la saisir par le cou avant que tous deux ne s'enfoncent à demi sous l'onde. Très sensuels dans cet attachement qui les lie pour la vie, la plupart des amoureux se cajolent et s'accouplent fréquem-ment même après la ponte.

Tous ont singularisé leurs amours, que ce soit le cygne de Bewick, qui répugne au divorce, et, phénomène rare chez les oiseaux, poursuit son idylle même en l'absence de rejetons, ou encore le plus altier et royal, le cygne tuberculé (*Cygnus olor*). Ses ailes puissantes, inimitables et irrésistibles, forment au-dessus de son dos une arche imposante tandis que son long cou agile et souple se replie en un « S » gracieux. Les trois types de cygnes qui fréquentent l'Amérique du Nord — le cygne trompette, le cygne siffleur et le cygne muet — doivent leur appellation à la qualité de leur « voix », non pas au jeu de leurs cordes vocales mais au bourdonnement qui résulte du bruit de leurs ailes en mouvement. Le premier fait ronfler l'air en tourbillons et ses « lamentations »

ressemblent à un déchirement ou à un long sifflement tandis que, plus discrets, les deux autres maintiennent leur réputation de grands amoureux en agitant leurs ailes selon des rythmes délicats. Dispersés aux quatre coins de la planète, tous d'un blanc immaculé, hormis l'imposant et mystérieux cygne noir (*Cygnus atratus*) d'Australie et de Nouvelle-Zélande et le cygne à cou noir du sud de l'Amérique du Sud, ces géants volants ont inspiré les cygnes sacrés présidant aux amours de Zeus ou ces cygnes attelés au char d'Apollon venu de l'au-delà. Cygnes des poètes et des grands compositeurs, symboles d'amour, de force, de puissance et de noblesse, ils sont, depuis des générations, divinisés. Au moment de leur agonie, de nombreux témoins de l'ultime adieu rapportent avoir perçu, à l'adresse de celui des deux qui reste, le déchirant, l'inoubliable « chant du cygne ».

Caractéristiques

Le cygne tuberculé : *Cygnus olor • Mute Swan.* Silhouette gracieuse, blancheur immaculée, protubérance noire à la base du bec orangé.
distribution : aires dispersées à travers l'Eurasie, introduit en Amérique du Nord, en Afrique du Sud, en Australie et en Nouvelle-Zélande.

cygnes des poètes et des grands
compositeurs, symboles d'amour,
de force, de puissance et de noblesse.

Ils sont environ une centaine d'espèces de tisserins à avoir remarqué, il y a fort longtemps, l'engouement de leurs amantes pour les tissages et les habitations suspendues. Habiles, ils ont rapidement maîtrisé l'exigeant métier de tisserands et testé sur leurs admiratrices l'effet séducteur des fibres entrelacées. En retour de tant d'efforts, ils s'attendaient à mener une vie plus facile et, pour tout dire, à régner en maîtres sur de véritables harems.

Désir un peu irréfléchi, puisqu'il allait au contraire provoquer un changement d'attitude chez leurs compagnes et les amener à reprendre le contrôle des choses de l'amour.

Dès la saison des pluies, favorable aux pousses vertes et flexibles, chacun des artisans regagne son aire de nidification. Premier arrivé, premier servi. Le plus futé sélectionne une branche tournée vers le bas, suffisamment souple pour qu'il puisse s'y agripper et la replier comme un arc. Conçu pour résister aux ondulations causées par les vents tropicaux, l'échafaudage perchoir est solidement fixé et sert d'assise aux longues et complexes manœuvres du chantier. Herbes fraîches, radicelles et extraits de feuilles de palmier en constituent les matériaux de base.

Dès lors, débute le travail le plus ardu et le plus délicat. Le tisserin saisit chaque filin, le glisse entre les nattes déjà arrimées, s'aidant de ses pattes pour le nouer solidement. Un rang torsadé vers la droite, puis le suivant vers la gauche : l'astuce accroît la robustesse du logis.

Fier et un brin prétentieux, le mâle s'efforce de ne pas répéter le retentissant échec d'une certaine année où une belle passante, attirée par ses frénétiques battements d'ailes et ses irrésistibles vocalises à l'amour, avait visité le *bungalow*. Elle avait tout, mais absolument tout vérifié en parcourant chaque pièce, en secouant chaque nœud, chaque tresse. Elle en était ressortie désenchantée et agressive. La toiture n'était pas étanche et, surtout, elle n'avait pas été doublée d'un indispensable plafond intérieur. Les parois de la chambre de ponte laissaient à désirer et l'antichambre, que le prétendant avait tressée à reculons pour éviter d'endommager son œuvre, avait une allure plutôt négligée.

En réalité, il n'avait pas eu assez de temps pour bien achever le vestibule, dont la réalisation signe, chez les tisserins, le

début des parades. Il s'était fourvoyé et avait observé, médusé, l'amazone décréter sans la moindre hésitation l'inutilité de l'ouvrage et remettre en question les capacités de l'ouvrier à construire une demeure digne d'un tisserin. Elle s'était agrippée à la branche et, sans discuter, d'un coup de bec brusque et sec, elle avait sectionné le filin de suspension. Elle avait cet air qui en dit long et il avait cru entendre : « Si tu tiens à moi, tâche de faire mieux la prochaine fois. » Il ne l'avait pas revue.

Cas extrême, car le plus souvent, après un échec, le logement jugé insalubre par la gent féminine est détruit par son concepteur ou alors abandonné, auquel cas il se désagrège.

Secoué par quelques échecs, le tisserin a voulu cette année jouir pleinement de son succès. Cette fois sera la bonne, et il s'est particulièrement bien appliqué. La visiteuse est ressortie enchantée de son inspection ; le tissage est parfait et résistant. Dès lors, les étapes se sont précipitées. Ils se sont aimés. Elle est prestement retournée au nid. Elle s'y est installée, a dressé une litière mais, oh surprise ! elle lui en a interdit l'accès. « Chez les tisserins, les relations de couple sont entièrement régies par les dames », a-t-elle tenu à préciser. Banni du logis, réfugié sur une branche voisine, penaud, l'amoureux éconduit a choisi de revoir ses constructions secondaires, car jamais les ouvrages d'un artisan tisserin prudent ne doivent se limiter à une seule esquisse. Sur son chemin, plusieurs belles l'ont gentiment complimenté pour

ses ingénieuses réalisations. À plusieurs reprises, il a succombé à leurs charmes et maintenant il doit nourrir bien des becs. Par chance, en cette saison des pluies, les insectes particulièrement prolifiques et abondants lui facilitent la tâche.

Très sociables, certaines espèces grégaires préfèrent construire d'immenses condos qui forment d'agréables communes regroupant jusqu'à trois cents familles et encouragent l'expression de mœurs plus permissives.

Ainsi se vivent les péripéties de l'amour chez les tisserins. Ces fiers bâtisseurs de nids suspendus doivent soumettre leurs réalisations à l'appréciation, au jugement sans appel de leurs compagnes qui, pour un brin d'herbe mal ficelé, pour un lacis bien agencé, leur disent non ou leur disent oui. Souvent l'amour ne tient qu'à un fil…

Caractéristiques

Tous les tisserins ont des pattes munies de trois doigts tournés vers l'avant qui leur permettent de tisser. Ils ont un puissant bec conique. Chez le mâle, l'iris change de teinte à la période nuptiale. Le mâle tisse un nid suspendu, qui est accepté ou refusé par la femelle.

Le tisserin du nil : *Ploceus taeniopterus • Northern Masked Weaver.* Jaune avec masque noir et œil rouge. **distribution :** Afrique de l'Est, Soudan, Ouganda, Kenya. *Page 72.*

Le tisserin alecto ou alecto à tête blanche : *Dinemellia dinemelli • White-headed Buffalo Weaver.* Tête et dessous blancs, dos brun strié de blanc, croupion et sous-caudales rouge orangé. **distribution :** Afrique de l'Est. *Pages 70, 73 et 74-75.*

Le tisserin écarlate : *Anaplectes rubriceps • Red-headed Weaver.* Mâle : parties supérieures rouges, parties inférieures blanches, masque noir. Femelle : brunâtre, bec rouge orangé, rouge orangé au bord des ailes et de la queue. **distribution :** est et centre de l'Afrique. *Page 71.*

HABILES, ILS ONT RAPIDEMENT MAÎTRISÉ L'EXIGEANT MÉTIER DE TISSERANDS
et testé sur leurs admiratrices l'effet séducteur des fibres entrelacées.

Par les étroites ouvertures de notre affût se dessine au loin un défilé aérien avec ses multiples formations grégaires aux « V » un peu flous. Parmi les arrivants, une des grandes splendeurs du ciel nord-américain, l'ibis blanc, en pleine euphorie nuptiale, s'invite dans l'espoir de fonder une famille. Les mâles, dont plusieurs sont célibataires ou veufs, ont fort à faire pour débattre des limites de leurs ambitieuses prétentions.

Finalement, la plus audacieuse ose un bien timide élan du cœur. Comme il arrive souvent dans le subtil jeu de la séduction, la maladroite démarche est d'abord mal reçue par l'heureux élu. Celui-ci perçoit le geste tendre comme un envahissement territorial et la malheureuse subit de sa part une furieuse rebuffade servie par la large lame de son bec recourbé comme un sabre. L'intruse esquive de justesse ce glaive rouge et orangé particulièrement éclatant en cette période de rapprochements. Selon les mœurs des ibis, la prétendante, solidement arrimée à une branche, devrait plutôt bien accepter de curieuses approches.

L ' I B I S   B L A N C

Quelques jours plus tard, de belles femelles au gabarit plus modeste se joignent à la cacophonie. Prudentes, elles demeurent en retrait, observant les harangues de ces messieurs et tentant de repérer le gaillard le plus charmant, le plus doué. Obsession universelle : elles cherchent à identifier, selon des critères appris de leurs aïeules, le dépositaire du bagage génétique le plus prometteur.

Accepter de se laisser brusquement saisir la tête, tolérer d'être frappée à coups d'ailes et secouée comme si elle était une tige morte. Contraires à nos concepts d'égalité et de respect des sexes, ces comportements semblent s'avérer utiles aux ibis, leur permettant de mieux jauger la détermination et le courage de tout prétendant. Un mâle agressif possède le dynamisme et la détermination nécessaires pour ériger un nid robuste et devenir un père dévoué et exemplaire. Dès lors peuvent débuter les longues valses des flammes d'un jour et des promesses qui riment avec toujours ! Rites complexes et caractéristiques de ces monogames

parfois tentés par les charmes d'un voisin, d'une voisine. Leur cérémonial se compose de parades alambiquées et de joutes subtiles au cours desquelles leurs becs démesurés se croisent et délicatement s'effleurent avant de s'ignorer de nouveau. Soudain, les acteurs reviennent, leurs cous tendus et rigides se courbent et s'étreignent. Puis, envoûtés, un peu fous, grisés à en perdre la tête, ils s'enlacent avec mille tendresses. Conquis, le rustre d'il y a à peine un instant est méconnaissable : tendrement, il lisse et replace les plumes de sa flamme par ses ardeurs emmêlées. Les élans des amants décuplent et leurs ailes finissent par se confondre, les blancs de l'un se fondant aux extrémités plus sombres de l'autre. Excités par cette agitation procréatrice, désireux de les imiter, de trouver l'âme sœur rapidement, d'autres membres de la troupe décident de prendre l'air et décrivent, au-dessus de la colonie, de belles et complexes voltiges aériennes.

Câlins, les protagonistes s'éloignent des interstices de notre cache et laissent leurs silhouettes de fin du jour raconter, derrière un discret buisson, les plus beaux élans de la vie des ibis blancs.

Le lendemain, à peine remise de ses émotions, la femelle choisit un site avant d'entreprendre un entrelacement solide des matériaux apportés par son amant. Malin et un tantinet paresseux, celui-ci jamais ne se gêne pour dépouiller les œuvres mal défendues ou distraitement surveillées par les voisins.

Il y a bien des générations, des visiteurs venus des îles du Sud se sont présentés. Amateurs de crustacés riches en carotène, lequel a teinté leurs plumes de pourpre, les ibis rouges se sont rapidement amourachés de leurs cousines et cousins blancs pour engendrer des rejetons au plumage d'un rose délavé.

Une succession de mues dénude bientôt toutes les têtes juvéniles avant de les introduire dans la société des adultes, où ils doivent peaufiner les rites complexes de la séduction. Emblèmes de cette espèce, ces élégants rythmes de l'amour conditionnent leur survie.

Longtemps, ces gestes qui apprivoisent, ces mouvements qui osent, ces exubérances capables de séduire ont inspiré les rituels des premiers peuples appelés à les côtoyer. Imités par des sorciers métamorphosés en oiseaux, les duvets blancs, rouges ou roses ont contribué à conjurer les dieux et à apaiser leurs humeurs. Envoûtés, rendus un peu fous par la démesure de leurs parades compliquées, les hommes oiseaux en transe se sont pris pour des dieux véritables et ont longtemps imposé de bien curieuses coutumes amoureuses à leurs semblables...

Caractéristiques

L'ibis blanc : *Eudocimus albus • White Ibis.* Blanc au repos ; ressemble à une aigrette, long bec rouge ou orangé incurvé vers le bas, peau dénudée devant les yeux, pattes rouges ou orangées. **distribution :** présence accidentelle au Québec, fréquente à partir du sud des États-Unis jusqu'au Venezuela. Pages 76, 77, 78 et 80-81.

L'ibis rouge : *Eudocimus ruber • Scarlet Ibis.* Même grosseur que l'ibis blanc, tout rouge, bec noirâtre. **distribution :** Colombie, Équateur, Venezuela, Trinidad et Tobago. Page 79 (à gauche).

L'ibis hybride : l'ibis hybride est né d'un croisement entre l'ibis blanc et l'ibis rouge. Il n'a pas de nomenclature actuellement. On en parle sans véritablement le classer ni lui donner de nom anglais ou scientifique. Des discussions se poursuivent, visant à clarifier si le blanc et le rouge ne forment pas une même espèce tout simplement de couleur différente. Pour le moment, ils ont des noms distinctifs tandis que les hybrides, relativement rares (par exemple, quarante couples ont été répertoriés au Venezuela), n'en ont pas. Les livres anglais parlent simplement de *natural hybridation .* Page 79 (à droite).

UNE DES GRANDES SPLENDEURS DU CIEL NORD-AMÉRICAIN, EN PLEINE
EUPHORIE NUPTIALE, S'INVITE DANS L'ESPOIR DE FONDER UNE FAMILLE.

Deux familles se partagent un univers de plus en plus restreint et fragile. Elles sont nobles et manifestement couronnées, apprécient la chaleur tropicale, nichent dans les arbres et vocalisent modestement. Ce sont des roturières bruyantes, capables d'affronter le froid, qui préfèrent construire leur nid à même le sol.

Le hasard de périples mémorables nous a fait croiser quelques-unes de ces grandes dames au comportement fascinant. Grue couronnée noire ou grise d'Afrique, grue de Sibérie, grue demoiselle, grue antigone, grue brolga, grue cendrée, grue du Canada ou grue blanche d'Amérique : toutes ont la danse pour passion.

Depuis toujours, elles privilégient l'élégance et le charme pour le plaisir des yeux ou pour leur propre satisfaction. Mais au moment des engagements définitifs, gratifiées d'un gabarit souple et élancé, elles dansent et entrent en transe, se fondent pour devenir amour et volupté. Pour prolonger les effets de cette passion, les néophytes en compliquent les figures, multiplient les variantes tandis que les plus expérimentées, plus pressées de passer à l'acte, les conçoivent comme de brèves et intenses étapes préliminaires.

L'un ou l'autre partenaire, parfois les deux à l'unisson, élève bec et cou, s'arc-boute et lance de sourds ronronnements. En signe d'acquiescement, ses ailes immenses se déploient, les poursuites effrénées s'accélèrent, les figures complexes se multiplient. Lorsque le mâle s'excite, ses plumes ébouriffées battent bruyamment la mesure pour le plus grand plaisir de sa bien-aimée. Sans jamais sembler défaillir, les amants se pourchassent, se perdent de vue, puis se retrouvent. Ces chorégraphies de l'amour, modulées par des bonds et des sauts géants, sont ponctuées des spectaculaires déploiements de leurs voilures immenses. À tout instant, l'un des danseurs se saisit d'une branchette, d'une brindille et, pour impressionner l'autre, la lance dans les airs. Des suppliques, des complaintes retentissantes raffermissent les liens déjà solides qui unissent ces monogames jusqu'à la mort.

Immanquablement vient l'instant où la femelle, attendrie, à peine essoufflée, marque son émoi par une pause et invite son persévérant compagnon en entrouvrant les ailes. Aphrodisiaque puissant, ce geste

sans équivoque emporte le poursuivant d'un seul élan et le ramène sur le dos de sa compagne. Il agite ses plumes à tout rompre afin d'éviter une malencontreuse chute. Instant tout de même bref, à peine quelques secondes, précipitamment interrompu par le retour rapide de l'équilibriste sur le plancher des vaches. Moment crucial pour la perpétuation de l'espèce que bien des couples ponctuent de frissonnements de plumes toujours suivis des toilettages mutuels et ritualisés. Alors, les danses endiablées reprennent. Les cris sourds et langoureux accompagnent les rythmes de plus en plus lascifs, rythmes qui enivrent toute la colonie. Dans une contagion suggestive, ils transforment un simple désir en pulsion collective. Progressivement, cette euphorie du partage se mue en délire sexuel où la retenue n'a plus sa place.

Séances de danses que certaines espèces prolongent bien indûment, aux dires des observateurs, mais qui semblent suffisamment les détendre pour que leurs ébats sexuels s'avèrent particulièrement fertiles. Chaque protagoniste épanoui y trouvant son compte, jamais il n'hésitera à proposer

de nouvelles cambrures en guise de préliminaires. L'interpellé répond aussitôt par
de grandes enjambées et multiplie les rondes
autour du tentateur enfiévré, ce qui excite
de jeunes célibataires anxieux de démontrer
leur propre adresse. La plupart du temps,
ces spectacles deviennent prétextes à des
compétitions, des exercices de muscula-
tion, parfois des agressions suffocantes ou,
le plus souvent, des raffinements du geste
et de l'attitude. Le manège peut se poursuivre durant des semaines sans jamais sembler lasser les danseurs. Inné, ce goût du
trémoussement agite même les poussins
dès les premiers jours de leur existence.

Puis, les ardeurs se calment, les besoins
d'expression sentimentale s'apaisent, mais
resurgissent parfois pour servir de soupa-
pes à des états de tension, d'agression ou
d'anxiété. Servies par un physique hors du
commun, les grues ravissent les ornithophiles qui ne leur connaissent, en ce domaine,
aucun véritable compétiteur.

Immanquablement, au fil des extases, le besoin de construire un logis se fait de plus en plus pressant et mobilise les énergies des couples appelés à enseigner à leur progéniture ces petits pas de danse et ces coups d'ailes immenses qui rythment l'un des plus spectaculaires hymnes à l'amour. Mais souvent dans les brumes du matin, j'ai perçu, entremêlées à ces grands coups de voix rauques, leurs inquiétudes et leurs interrogations. Disposeront-elles d'assez de terres discrètes pour poursuivre dans l'intimité ces talentueuses chorégraphies, ces frivolités si essentielles à leurs amours ?

La grue brolga : *Grus rubicunda • Brolga Crane.* Très grande grue, entièrement grise, sauf les parties dénudées de la tête rouges, pattes noires. distribution : Australie. *Pages 82 et 87.*

La grue cendrée : *Grus grus • Common Crane.* Grande grue grise, front et devant du cou noirs, derrière du cou blanc, petite tache rouge au-dessus de la tête. distribution : Eurasie, hiverne en Inde et en Afrique. *Page 84 (au centre).*

La grue royale : *Balearica regulorum • Grey Crowned Crane.* Couronne dorée très caractéristique, grue plus colorée que les autres. distribution : Ouganda, Kenya, Zimbabwe et Mozambique. *Page 84 (en haut).*

La grue de sibérie : *Grus leucogeranus • Siberian Crane.* Grue blanche, face et pattes rouges. distribution : très rare et en voie d'extinction. Sibérie, hiverne en Chine ainsi qu'au parc Kéoladéo Bharatpur, en Inde. *Page 85.*

La grue du canada : *Grus canadensis • Sandhill Crane.* De grande taille, ressemble au héron, vole le cou et les pattes allongés, couleur ardoise uniforme, souvent pigmentée de rouille, front rouge dénudé. distribution : Amérique du Nord. *Page 86 (en bas).*

La grue demoiselle : *Grus virgo • Demoiselle Crane.* Grue grise plutôt petite ; tête, devant du cou et poitrine noirs ; seule grue dont la tête est entièrement emplumée, touffes blanches distinctives au niveau des oreilles. distribution : Inde, Eurasie centrale. *Pages 83, 84 (en bas) et 86 (en haut).*

Le pLonǵeon huaRd

Le HUaRD à coLLieR

aux confins d'un lac sauvage, le silence est percé par des cris troublants aux légères intonations tyroliennes. Aucun doute, le locataire de la grande baie annonce son retour. Depuis des générations, dès la fonte des glaces, le mâle apparemment inquiet de sa solitude lance ses appels déchirants. Immanquablement, dans le brouillard, un écho lui répord, puis une cascade de sons lancinante, de plus en plus insistante, se manifeste. Le duo de huards à collier est au rendez-vous : j'en frissonne !

Imperceptiblement, les échanges de plaintes se rapprochent, puis à moins de trente mètres, comme toujours, des fantômes au crâne volumineux, au bec effilé et rectiligne émergent. Mon canoë glisse doucement sur l'eau, à la manière dont me l'a appris un vieux guide algonquin il y a bien des lunes. L'intarissable pagayeur me transmettait, à travers ses lèvres de ventriloque, sa fascination pour le huard à collier.

Aux premiers signes printaniers, dans sa retraite du Sud, le gris si terne de son costume hivernal retrouve, plume après plume, ses allures nuptiales qui, lorsqu'il s'avancera plus au Nord, vont éveiller les passions. Des noirs aux miroitements verdâtres ou rosâtres enrobent sa tête et un demi-collier à rayures blanches orne son encolure. Sur son dos se dessine un damier noir et blanc. Lorsqu'il s'excite, son abdomen tout blanc se hausse hors de l'eau et trahit de très loin les ébats passionnés de ce monogame pour la vie.

Les deux partenaires ainsi parés composent un duo à collier plus costaud que ceux formés par le huard du Pacifique et le cousin à gorge rousse ; le couple échange de langoureux ioulements. L'instant d'après, réfugié dans un ultime coton de brume, il reprend sa longue plainte, celle du loup qui charme ou parfois inquiète. À cet instant précis, le temps s'immobilise, mes lentilles se mettent au point et quelques clichés deviendront mes trophées.

Satisfait, le mâle accentue sa complainte tandis que l'appelée feint l'indifférence et s'éloigne. Après quelques brasses bien calculées, elle pivote, tout en douceur. Les amants se saluent, exécutent des plongeons tout en pirouettes et, comme dans une démonstration de nage synchronisée, ressortent simultanément de l'onde. Envoûtés, ils m'oublient entièrement, multipliant les arabesques, élevant en saccades rapides leurs longs becs qui se croisent parfois. Ils submergent l'arrière de leur corps pour mieux révéler leur poitrine et leurs épaules, avant d'étirer leur encolure à l'extrême limite. Souvent, quelques grondements sourds et rauques ponctuent les éclaboussures de leur tête renversée sur le dos pour mieux lisser leurs plus belles plumes.

Chacun dans des directions opposées entame sur l'onde une course effrénée et décrit un large cercle qui, immanquablement, le ramène à son point de départ. Ils s'émoustillent de cris rieurs, puis, aux limites de l'exaltation, se haussent sur la queue, battent violemment des ailes, gambadent sur les flots pour mieux révéler la blancheur de leur poitrine. Parfois, comme me le racontait mon pagayeur algonquin, un célibataire esseulé ou jaloux, ou même un couple de novices désireux de parfaire ses connaissances de la vie, s'interpose, se joint au bal et exécute quelques pas nouveaux avant de déguerpir comme il est venu.

Finalement, la belle adopte une attitude qu'aucun compagnon ne peut ignorer. Désormais, rien ou presque ne les arrêtera. Les ébats sont si nombreux que se creuse dans l'humus humide une légère dépression, un faux nid.

Balourds et maladroits sur terre, les couples s'y aventurent très rarement, prenant toujours la précaution d'ériger leur amas

de végétaux er décomposition près de l'eau. Ils choisissent souvent un talus de rats musqués ou s'installent au voisinage d'une île éloignée des prédateurs. Unis pour la vie, mâle et feme le au plumage indissociable fréquentent l'eau douce d'une grande rivière ou d'un lac indompté qu'ils refusent de partager avec leurs semblables s'il fait moins de cinq hectares.

Puis, un matin brumeux de fin de saison, aux confins du lac sauvage, une longue complainte étouffée et syncopée, un cri, ce cri troub ant qui sied à merveille au brouillard laiteux de nos eaux, vient, une dernière fois, jouer avec l'écho de l'amour. Et à ncuveau le silence en est ravi...

Caractéristiques

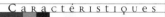

Le PLONÇEON HUARD : *Gavia immer • Common Loon.* Mâle et femelle identiques, grosse tête et cou noirs, reflets verdâtres ou rosâtres, demi-collier cervical rayé noir et blanc, bec noir droit et effilé, dos à damier blanc et noir, abdomen blanc. **DISTRIBUTION** : nord de l'Amérique du Nord, Groenland, Islande. Hiverne le long des côtes des États-Unis et du nord-ouest de l'Europe.

UN CRI, CE CRI TROUBLANT QUI SIED
à MERVEILLE AU BROUILLARD LAITEUX
DE NOS EAUX, VIENT, UNE DERNIÈRE FOIS,
JOUER AVEC L'ÉCHO DE L'AMOUR.

JASEUR DES CÈDRES

Dans la chevelure des pommiers ou des cerisiers en fleurs, quelques silhouettes un peu rigides grignotent discrètement leur petit-déjeuner. Vêtus d'une livrée fauve et la queue sertie d'une étroite bande jaune fluo, parfois orangée, les affamés dévorent avidement des confettis. Ces vagabonds d'une beauté veloutée, dans leur tenue rappelant bien plus le pelage que le plumage, pillent sans retenue des centaines de savoureux pétales à l'arôme sucré.

Des jaseurs d'Amérique des deux sexes, absolument identiques, sautillent en déployant de longues ailes dont les pointes se terminent par des gouttelettes rouges. De consistance cireuse, ces jolis atours serviraient, selon certains experts, à préciser l'âge, le statut social et même l'état matrimonial des couples appariés pour la saison. Pour d'autres, ces résistantes parures préviendraient plutôt l'usure prématurée de leurs plumes délicates causée par la rugosité des conifères, leur refuge et leur havre de repos. Impressionnés par cette caractéristique, les Anglo-Saxons ont nommé le jaseur d'Amérique *Cedar Waxwing,* tandis que les premiers explorateurs de la Nouvelle-France, étonnés par sa teinte cannelle et sa huppe en forme de capuchon semblable à la bure des missionnaires, le surnommaient amicalement le « récollet ».

Au cours de leurs migrations erratiques, des idylles se sont amorcées. Discrets, nous assistons au serment final de ces duos au rituel plutôt fantaisiste. Le plus souvent, un mâle marque le début de la cérémonie en effectuant des petits sauts de côté qui le rapprochent de l'élue. Selon la saison et le lieu, il lui remet un pétale, un insecte ou une baie. L'offrande aussitôt acceptée, la bien-aimée sautille à son tour en s'éloignant, puis revient lui rendre le présent qu'il s'empresse de lui remettre. Ballet tout de même étonnant du présent représenté, accepté, puis retourné,

qui fluctue au rythme de l'appétit de l'un et de la politesse de l'autre. Le manège peut durer quinze, vingt longues minutes et s'achever au moment où l'un des deux décide enfin de croquer le cadeau.

Myopes, distraits ou ambivalents, certains jaseurs se rapprochent parfois d'un individu de leur sexe qui, au moment de l'échange, se fâche, devient violent et rame furieusement des ailes en étirant le cou et en tendant la tête vers l'avant.

Le malentendu réglé, le calme revient au sein de l'arbre fleuri et la construction du repaire conjugal peut débuter. Joyeusement, les deux partenaires s'entraident, mais il vaut mieux être patient, ami lecteur, car les

travaux, comme bien d'autres travaux, peuvent non seulement s'éterniser, mais ne débuter qu'à l'automne. Devant un garde-manger particulièrement bien garni, ces pèlerins de l'errance se servent, se gavent jusqu'à plus faim, oubliant le temps qui file et remettant à plus tard l'éclosion de la génération future.

D'autres peuvent avoir repéré la présence de leur ennemi légendaire, le vacher à tête brune, ce fainéant parasite qui abandonne ses propres œufs dans le nid d'autrui et disparaît à jamais. Apparition qui en amène plusieurs à retenir leurs élans reproducteurs jusqu'au départ assuré du mécréant. Travailleurs acharnés, sans doute pour rattraper le temps perdu, les jaseurs des cèdres entreprennent la construction d'un deuxième nid tout en s'occupant de la première nichée. Le mâle, alors débordé par ses multiples occupations, retrouve l'audace des malandrins et, croyant son anonymat assuré, profite de son masque de carnaval lui bordant les yeux pour resquiller les matériaux des voisins.

Aussitôt leurs devoirs accomplis, les indomptables cavaleurs répondent aux voix de la liberté et du vagabondage qui les emportent vers d'autres cieux. Puis, un après-midi d'automne et de fruits mûrs, on surprend de nouveau dans les vignes du Seigneur ces fins goûteurs, ces avaleurs de petites baies sucrées, occupés à grappiller les derniers raisins un peu fermentés qui les saoulent.

À peine ont-ils refait leurs forces qu'ils reprennent leur périple aventureux, lequel les ramènera peut-être un jour dans ces lieux où les pétales neigent.

Caractéristiques

Le jaseur d'amérique : *Bombycilla cedrorum • Cedar Waxwing.* Plumage brun clair velouté, ventre jaunâtre, huppe érectile, masque noir. **distribution :** Amérique du Nord, sauf l'extrême Nord.

DANS LA CHEVELURE DES POMMIERS OU DES CERISIERS EN FLEURS, QUELQUES SILHOUETTES UN PEU RIGIDES GRIGNOTENT DISCRÈTEMENT LEUR PETIT-DÉJEUNER.

Dans la savane apparaît une colonne de poussière aussitôt dissipée par un autre puissant tourbillon. En se rapprochant à toute allure, les rafales se multiplient d'impressionnante façon.

Les autruches font la course ou plutôt se poursuivent, avançant par bonds de trois mètres ; leurs puissantes cuisses charnues soulèvent leurs jambes démesurées, chaussées de deux orteils aux griffes redoutables. Leur tête naine et chauve juchée sur un interminable périscope toise sans cesse les volumineux globes oculaires des voisines. Les yeux démesurés des autruches sont plus gros que ceux des éléphants.

Incapables du moindre envol, leurs ailes atrophiées semblent flotter inutilement à leurs flancs. Pourtant, leur déploiement assure le moindre changement de cap et les brusques freinages.

Ces championnes incontestées de la haute vitesse parmi les oiseaux coureurs échangent manifestement des codes par leurs attitudes corporelles. Généralement très sociables, les *Struthio camelus* font sexe à part au temps des idylles. Les mâles d'un côté, les femelles de l'autre, tous oublient leur esprit de clan pourtant si puissant. Ces géantes de 2,60 m pesant plus de 100 kg et pouvant dépasser l'âge vénérable de cinquante ans exécutent à tout instant de bien gracieux mouvements.

Le mâle au plumage contrasté de noir et de blanc délimite son territoire en poussant de terribles cris imitant le rugissement du lion. Agressifs, ses rivaux se livrent de durs combats souvent marqués de meurtrissures. Particularité exceptionnelle chez les volatiles, les mâles ont, caché dans l'habituel cloaque, un impressionnant pénis qui, gorgé d'humeurs intensément colorées, peut atteindre 30 cm. Au cours de la parade, les mâles battent des ailes en tous sens. Celles-ci s'élèvent, puis retombent au rythme de leur effet auprès des spectatrices. Séduites par ces manifestations de force, d'élégance et d'adresse, les dames, dont les plumes uniformément brunes assurent discrétion et camouflage, accourent.

Le moment de faire connaître leurs préférences est enfin arrivé. La fiancée s'approche de l'élu et, en transe, imprègne le sol de ses odeurs. Hautain, le capricieux feint l'indifférence, exige des reprises. Dans le but de lui signifier son accord, le héros

pourchasse l'élue du moment en agitant ses moignons rudimentaires et agrémente les parties dénudées de son anatomie — la tête, le cou, les cuisses — de nouvelles teintes rougeâtres apparemment irrésistibles. La femelle abaisse les ailes, la queue, puis la tête et, étendue sur le sol, invite son compagnon à la combler de ses ardeurs.

La frénésie reproductrice gagne les témoins de cette scène qui prédispose à l'échangisme. Un mâle peut être polygame et avoir des concubines qui doivent obtenir le consentement de la préférée, sous peine de se voir énergiquement chassées par elle.

Après s'être «bien occupé» de chacune (habituellement trois ou quatre), il choisit lui-même l'emplacement du nid, une dépression sablonneuse d'un diamètre de 1 m et d'une profondeur de 30 cm. Il tapisse le logis de douces plumes brindilles. Ses compagnes viennent à tour de rôle y déposer les fruits de leurs amours. Puis la femelle dominante éloigne ses rivales et se met à couver du matin au soir, tandis que son Casanova couve la nuit. Durant une quarantaine de jours, le couple voit à la bonne évolution d'environ deux ou trois douzaines d'œufs, les plus volumineux de toutes les espèces avec leur diamètre de 16 cm et leur poids de 1,50 kg.

À l'approche du terme, la femelle diminue l'intensité de sa couvaison pour permettre au plus jeune d'atteindre sa complète maturité et de rassembler l'énergie nécessaire à sa venue au monde. Durant au moins une journée, l'autruchon s'épuise, à l'aide de son petit bec marteau, à craqueler son étroite et résistante prison. Recouvert d'un plumage rêche et grossier, chaque représentant de la nouvelle génération a plutôt l'apparence d'un hérisson. Le petit devra maîtriser bien des enseignements avant de connaître cette maturité qui détermine le rang hiérarchique de chacun et permet les rituels sexuels si particuliers des oiseaux coureurs les plus rapides de la planète.

Caractéristiques

L'autruche ou L'autruche d'afrique : *Struthio camelus • Ostrich.* Tête petite, dénudée, grands yeux proéminents aux longs cils, cou en forme de périscope. Mâle : plumage contrasté noir et blanc ; en période nuptiale, parties dénudées : tête et cou rougeâtres. Femelle : plutôt monochrome, brunâtre ; pattes longues, robustes, plaques cornées ; deux orteils solides avec des griffes. DISTRIBUTION : Afrique.

50 000 couples entreprendront, avec les 160 000 couples du côté est, les rites qui assurent la reproduction d'un des plus fabuleux joyaux du patrimoine mondial.

Face au grand large, de préférence sur des falaises abruptes, les plus expérimentés reprennent rapidement leurs droits de propriété. Il leur faut faire vite, car les jeunes prétendants vont arriver dans quelques jours. De vives discussions à propos de l'habitat tournent le plus souvent à l'escarmouche animent chaque refuge de moins en moins paisible. Les titres sont homologués grâce à des secousses latérales que les mâles font avec leur tête pendant que leur bec menaçant pointe le nid en espérant obtenir rapidement l'approbation d'une spectatrice.

Plutôt fidèles en amour, les mâles fréquentent des femelles aux tendances plus frivoles. Facilement séduite par un galant de passage, la belle ne dédaigne pas l'aventure d'un moment, mais l'œil gris clair cerclé de bleu intense du premier intéressé veille habituellement et celui-ci ramène prestement la distraite au bercail à grands renforts de parade ritualisée. On assiste alors à une succession de révérences où alternent des mouvements de cou arqué, de tête baissée et une impressionnante agitation d'ailes et de queue. À la moindre œillade en direction d'un autre, au plus discret éloignement physique de sa partenaire des dernières saisons, le fiancé lui pince maladroitement la nuque qu'elle détourne aussitôt avec un certain mépris. Nullement découragés, les voisins savent que le rituel des promesses définitives est amorcé. Alors se multiplient les rah! rah! gutturaux, les face-à-face pendant lesquels les poitrines s'effleurent et les ailes s'ouvrent, puis se contractent dans un splendide déploiement.

Ce grand oiseau marin de la taille d'une oie est affublé d'un bien curieux nom. Selon les plus sérieuses hypothèses ayant trait à son origine lointaine, ce nom lui viendrait de la confiance naïve qu'il a toujours témoignée à l'égard de l'homme, celui qui autrefois le chassait et qui maintenant pollue ses mers.

Dès février ou mars, suivant les caprices du climat, les premiers mâles adultes, ces bourlingueurs ayant vécu en haute mer tout l'hiver, rêvent d'îlots escarpés et suffisamment isolés. Ils mettent le cap vers un des six points de rassemblement de l'Atlantique Nord. Bientôt, du côté ouest du grand océan,

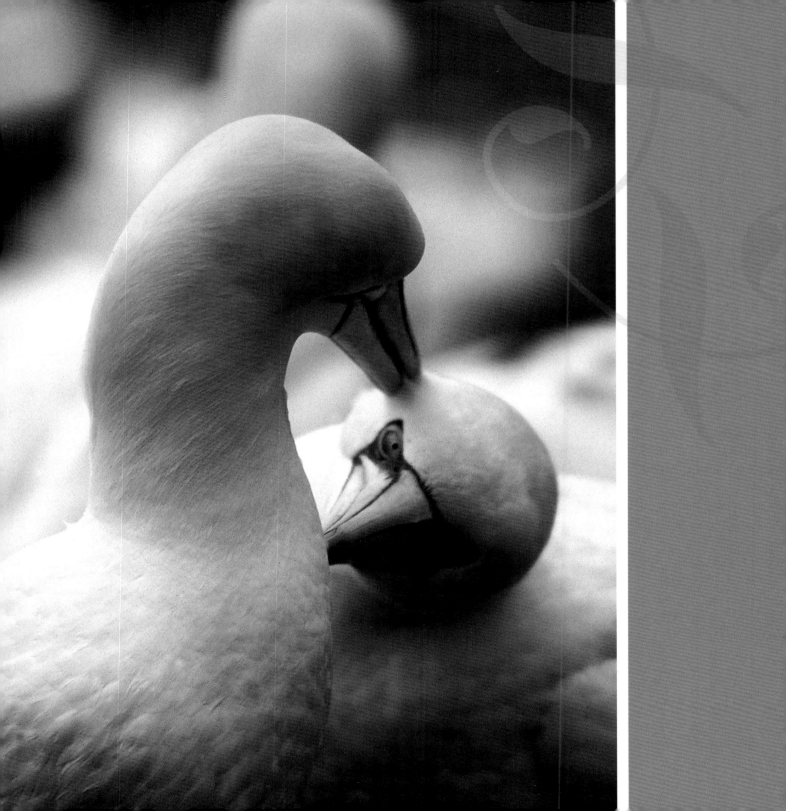

Les têtes se dressent, les becs s'entrechoquent comme au temps des duels à l'arme blanche, les courbettes succèdent aux croisements lascifs des longs cous déliés jusqu'au moment où l'amante conquise secoue la tête et s'affaisse sur le sol. Le duo goûte enfin l'extase que tant de gestes ont préparée. Ces rituels sont uniques et propres à ces fous qui les ont raffinés de génération en génération. Pour se rassurer et confirmer le sérieux de leurs engagements, ils se livrent à des toilettages mutuels intensifs qui viennent raffermir les liens parentaux.

Vigoureux et attentif, le mâle transporte des algues, des plantes ou des débris de la mer et les offre comme un bouquet à la femelle, qui s'empresse de rendre son nid plus douillet. Les deux partenaires couvent pendant quarante-cinq jours un seul œuf bleuâtre avant de nourrir le petit qui en sortira et qui deviendra rapidement un adolescent affamé. Vulnérable, ne pouvant voler, il bénéficie du gardiennage en alternance de chaque parent pendant les trois mois suivant sa naissance. À la suite d'un téméraire vol plané, le jeune aboutit seul dans la mer où, au cours de la première semaine, il sera limité à la natation et à l'observance attentive des règles de survie.

Survie de ces grands acrobates du vent et de l'océan qui, une fois l'an, retournent sur leur île natale. Une île perdue entre ciel et mer, une île sauvage et belle, dédiée à leurs amours. Une île que les brumes souvent masquent pour mieux préserver leur intimité. Une île fière de ses falaises, de ses plateaux de vents et de bourrasques que des idylles de milliers de fous animent quelques semaines par année. Une île qu'ils quittent pour leur longue errance hivernale, une île alors abandonnée à ses froidures un peu folles.

Le fou de bassan : *Morus bassanus • Northern Gannet.* Grand oiseau marin blanc, arrière de la tête jaune chamois, corps et ailes très fuselés, bout des ailes noir, œil bleu cerné de noir. **DISTRIBUTION :** côtes est et ouest de l'Atlantique Nord, hiverne au sud jusqu'au golfe du Mexique et au Sénégal.

de grands acrobates du vent et de l'océan qui, une fois l'an,
retournent sur leur île natale.

Le jardinier à nuque rose

Les stratégies de séduction du mâle jardinier sont uniques et absolument remarquables au sein du grand répertoire de l'ornithologie. Cette famille, les *Ptilonorhynchidae*, compte dix-neuf espèces dont neuf sont exclusives à la Nouvelle-Guinée et huit à l'Australie, alors que les deux dernières fréquentent les deux contrées. Connu sous le nom de « jardinier » en français et de *Bowerbird* en anglais, une expression imagée évoquant une retraite ombragée à la campagne, il transmet de père en fils une tradition de charmeur besogneux hors pair. Aux premières heures d'un matin quelque peu brumeux, au plus profond du *outback,* cette région reculée d'Australie, des cris rauques et répétitifs sollicitent l'attention plus que tout autres. À peine repéré, l'auteur de ce cri, au plumage aussi terne que son environnement gris brun, se camoufle, mais l'instant d'après, un vol ondulant caractéristique trahit la présence du plus grand d'entre tous, le *Great Bowerbird*. Seules quelques plumes rose lilas à l'arrière du cou, déployées en éventail au cours des parades nuptiales, permettent de distinguer le mâle de la femelle.

Le prétendant se dirige vers le territoire de ses amours où une dizaine de ses magnifiques constructions en tonnelle des années précédentes confirment ses droits territoriaux. Les fortes intempéries de cette forêt des moussons en ont délabré quelques-unes, mais la plupart témoignent des talents remarquables de l'architecte séducteur. L'emplacement est choisi en fonction de critères personnels mais surtout en vue de lui assurer le maintien d'un périmètre de sécurité de quelques centaines de mètres propre à le protéger d'éventuels concurrents. Avec minutie, le soupirant nettoie une large allée bien dissimulée sous les branches d'arbres et d'arbustes, à l'abri des dangereux prédateurs de la région.

Alors peut débuter la construction d'un immense vestibule muni d'une véritable marquise digne des plus beaux jours de noces, mais toujours adaptée aux goûts les plus modernes. Chaque groupe de jardiniers s'étant progressivement spécialisé, notre héros préfère les monuments gigantesques, parfois même un peu délirants. Qui pourrait l'en blâmer, puisque dans ce monde comme dans bien d'autres, les célébrations du bonheur conduisent à nombre d'extravagances inexpliquées, voire inexplicables.

Brindille après brindille, une plate-forme de 7 ou 8 cm mesurant environ 2 à 2,50 m sur 1 à 1,50 m est uniformément érigée. Bientôt se dressent deux murs parallèles de 30 à 35 cm de hauteur sur 45 cm de longueur et 25 cm de largeur, assez robustes pour recevoir une toiture en forme d'arche. Un travail considérable pour un seul ouvrier, lequel est parfois exécuté en continuité avec celui d'un voisin aimable. En véritable gentleman, il saura respecter le choix de ces dames impressionnées par une construction aussi majestueuse. Habituellement orienté selon un axe nord sud, ce Taj Mahal des forêts paraît insignifiant aux yeux de son architecte, à moins d'être abondamment décoré.

Avant l'invasion humaine, le jardinier trouvait bien beaux tous ces matériaux naturels que son environnement lui procurait. Pierres brillantes, écailles de serpent, de créatures de mer ou de coraux, feuilles, fleurs, fruits variés disparaissaient rapidement de la nature environnante pour se retrouver à chacune des entrées de la tonnelle. Mais aujourd'hui, ce sont les débris de verre ou de plastique, les morceaux de tissu abandonnés par tout un chacun qui y sont rapidement recyclés. Connaisseurs, les prétendants personnalisent leur petit musée en fonction des couleurs. Le jardinier à nuque rose préfère les couleurs éclatantes et franches. Il regroupe les objets par catégorie, par forme, par brillance. Il n'hésite pas à s'introduire dans les habitations de l'homme pour dérober des objets particulièrement attrayants ou se présenter chez un rival absent pour lui subtiliser des pièces rares de sa collection.

Beaucoup aiment tapisser de fresques un ouvrage qu'ils jugent particulièrement réussi. Ils se servent alors de leur bec pour répandre en grande quantité leur salive adhérente à l'intérieur du couloir de l'amour.

Fier du résultat final, le fiancé s'installe habituellement à l'extrémité nord abondamment ornementée et, à l'instar des dons Juans de certains quartiers chauds des grandes villes, il ouvre la bouche et, le plus sensuellement possible, montre le bout d'une langue invitante. Une belle vient-elle à se pointer à proximité des nouveaux lotissements que tous les mâles du voisinage, un peu à la manière d'automates, raidissent leur posture, allongent le cou, hérissent leur crête, secouent de leur bec la plus précieuse décoration et, de leurs yeux exorbités, l'invitent à visiter l'appar-

tement tout neuf. Convaincue de se trouver devant un reproducteur particulièrement doué et pouvant offrir à sa progéniture un avenir prometteur, la belle accepte ce rendez-vous galant et, dans l'euphorie de la passion, va copuler avec lui jusqu'à épuisement sous la faste tonnelle.

Puis le nid, une coupe faite de brindilles et située à une certaine distance de l'arche, est rapidement rassemblé dans une fourche de l'abondante végétation. À quelques mètres du sol, le gîte se retrouve tout de même dans le voisinage du lieu de rencontre. La femelle prend en charge toutes les besognes familiales, tandis que le constructeur, redevenu un prince libre, retourne à ses palais. De nouveau, il va faire visiter ses luxueuses réalisations, mettre en valeur ses objets d'art et ses collections précieuses. Plusieurs belles esseulées, rêvant des douceurs de la vie de château auprès d'un si talentueux monarque, vont réaliser un peu tard que tout ce qui brille n'est pas or...

Caractéristiques

Le JARDINIER à NUQUE ROSE : *Chlamydera nuchalis* • *Great Bowerbird*. Oiseau terne beige, un peu rosé, nuque rose visible en parade nuptiale. DISTRIBUTION : nord de l'Australie.

Les deux photos de la page 112 montrent des constructions en tonnelle typiques. À gauche, le vestibule est agrémenté d'un plancher fait d'objets variés, mais tous blancs.

Dans bier des régions côtières de l'Atlantique Nord, on le surnomme affectueusement le « petit frère de l'Arctique » (*Fratercula arctica*), en raison du fait que cet *Atlantic Puffin* joint les pattes à la manière des moines en prière lorsqu'il vole. En d'autres lieux, sa démarche hésitante et dandinante, son faciès clownesque et son bec coloré le désignent comme le « perroquet des mers ». Ses yeux tristes mais combien expressifs, soulignés de blanc jusque sur les côtés de a tête, ont depuis longtemps conquis les cœurs ; c'est le chouchou de bien des ornithophiles. De la taille d'un pigeon, ce membre de la famille des Alcidés n'a pas de pouces, mais des doigts palmés montés sur de courtes pattes très postérieures qui l'obligent à adopter une posture verticale un peu guindée le distinguant des autres familles de palmidés. Durant l'hiver, il parcourt la mer en petites bandes sans jamais revenir sur terre. Entourés de mystères, ces longs exils peuvent se prolonger jusqu'à sept mois.

Puis un jour, les souvenirs de ses amours l'envahissant, sans doute, il se rapproche des côtes. Alors, c'est par centaines qu'on peut les apercevoir, souvent par milliers, lorsqu'ils se posent sur les flots en formant d'immenses radeaux aux rangs serrés. À peine amerris, les plus exubérants, poussés par les clameurs, vont retrouver leur terre de prédilection. Pourtant, plusieurs hésitent ; ils redoutent ces îles fragiles où l'appétit de l'homme a entraîné de grands massacres. Telle est la curieuse histoire d'une île située à la frontière canado-américaine, île maudite et abandonnée par des générations de macareux. Durant des dizaines d'années, les petits moines ont refusé d'y revivre leurs amours. Aucune astuce n'est parvenue à les amadouer, jusqu'au jour où des éclaireurs *Puffins*, au retour d'une exploration, ont rapporté la présence d'inconnus aux suppliques passionnées. Des dizaines de leurres astucieusement disposés ont fini par apprivoiser ces adeptes de la promiscuité et les convaincre des intentions pacifiques des nouveaux propriétaires. Progressivement, l'île a repris vie !

Le macareux moine

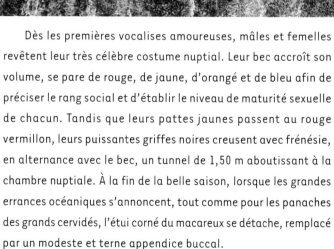

Dès les premières vocalises amoureuses, mâles et femelles revêtent leur très célèbre costume nuptial. Leur bec accroît son volume, se pare de rouge, de jaune, d'orangé et de bleu afin de préciser le rang social et d'établir le niveau de maturité sexuelle de chacun. Tandis que leurs pattes jaunes passent au rouge vermillon, leurs puissantes griffes noires creusent avec frénésie, en alternance avec le bec, un tunnel de 1,50 m aboutissant à la chambre nuptiale. À la fin de la belle saison, lorsque les grandes errances océaniques s'annoncent, tout comme pour les panaches des grands cervidés, l'étui corné du macareux se détache, remplacé par un modeste et terne appendice buccal.

Oiseau maritime, le macareux moine préfère les ébats amoureux surfés sur la crête des vagues. Pendant trente-neuf jours, la fiancée assure l'incubation, tandis qu'il monte la garde à la porte du terrier et visite assidûment les eaux poissonneuses. Mission d'autant plus risquée que sa route croise celle des goélands à

manteau noir et des grands labbes, ces terribles «cleptoparasites» qui chapardent leurs prises et n'hésitent pas à tuer. Les astucieux macareux, pour semer la confusion, se déplacent par dizaines, par centaines, en tous sens, à haute vitesse, dans le but d'étourdir, de confondre et de distraire l'ennemi. Pendant ce temps, d'autres groupes, leurs plumes blanches et noires bien plaquées au corps, plongent et brassent les flots de leurs ailes courtes et vigoureuses pour atteindre en apnée des vitesses de 20 km/h. Guidés par leurs pattes gouvernails, ils embrochent dans leur palais épineux cinq ou six malheureuses victimes qui les enjolivent d'une grouillante moustache argentée. Durant cinq à douze semaines, continuellement surveillé par un parent, le jeune reçoit entre huit et dix repas par jour. Puis un matin, au réveil, il se retrouve seul. Terrorisé, l'orphelin décide de gagner la mer en courant, se jette dans le vide, de préférence la nuit, et se laisse aspirer par le monde des adultes.

Un milieu inconnu dans lequel, pendant de longs mois, il se perd en vadrouille au-dessus des flots. Puis un jour, l'appel des élans amoureux l'assaille. Alors, avec des milliers de semblables, il va vers ces grands rassemblements qui savent si bien lui inspirer l'amour.

Caractéristiques

Le macareux moine : *Fratercula arctica • Atlantic Puffin.* Oiseau de la grosseur d'un pigeon, plumage noir et blanc, gros bec bariolé comprimé latéralement. DISTRIBUTION : côtes est et ouest de l'Atlantique Nord.

Le péLican bLanc d'amérique

Champion des pêches collectives, acteur de ce menuet synchronisé ou chaque figurant répète les mêmes mouvements lents et mesurés, le pélican demeure son propre maître, ayant depuis longtemps banni de sa société toute hiérarchie ou dominance.

À peine repéré, un banc de carpes est promptement assiégé par un filet de becs démesurés tandis que, dans un synchronisme exemplaire, en signe de victoire les ailes s'élèvent au-dessus du dos. Repus, les gloutons se toilettent avant de sombrer dans une léthargie postprandiale bienvenue. Au réveil, une femelle plus délurée se rapproche d'un groupe de mâles en parade et agite quelques plumes devant eux. Malgré le grand éloignement de leur site de nidification, les pélicans viennent d'amorcer cette période si particulière des amours.

Aguiché par l'audace de la belle, l'un d'eux se montre disponible. Des congénères excités l'imitent. Des discussions éclatent. Afin d'impressionner ses rivaux et la prétendante, chacun étire le cou, puis, comme au théâtre, pointe sa spectaculaire mandibule vers les cieux. La plupart du temps, les conflits d'apparat se règlent grâce à l'incontestable suprématie du plus imposant. Sans faire plus ample connaissance, le nouveau couple se retire. Le vainqueur enhardi et devenu particulièrement entreprenant tente aussitôt de chevaucher sa conquête qui, par une manœuvre d'immersion, se dérobe. « Mon ami, semble-t-elle répéter, on se calme ! Allons au territoire réservé pour la nidification et nous verrons pour la suite… » Penaud, le courtisan réalise sur le tard que son ardente flamme prend des allures d'amazone un peu trop à son goût. Son coup de foudre ne risque-t-il pas de métamorphoser un pélican tout blanc en un mâle rose ?

L'approche de la colonie confirme les appréhensions de l'impétueux don Juan. Tous ses compagnons maîtrisent parfaitement bien le rôle plus traditionnel de maître du jeu de la séduction. Ils exécutent des

parades collectives, s'adressent aux femelles en émettant de curieux grognements et se permettent même de parader maladroitement sur terre dans la plus totale anarchie. De retour sur les flots, ils décrivent des cercles et, se tenant par le bout du bec, ils pointent celui-ci en un même mouvement vers le firmament.

Pour mieux mesurer l'impact de cette gymnastique auprès des femelles toujours en retrait, ils dévisagent de leurs yeux rouge vif (en cette période) les jolis minois des prétendantes. Conquises, elles s'avancent une à une vers leur Roméo pendant que celui-ci éloigne ses rivaux. L'heureux élu accompagne fièrement sa douce en se pavanant. Sur terre, il marche en se trémoussant, écarte les ailes et tend le cou en dirigeant son bec vers le bas. Finalement appariés, les couples se regroupent pour une dernière rencontre communautaire avant de prospecter le site du futur nid. Le choix est vaste et mérite réflexion. Après bien des hésitations, la fiancée se décide en nettoyant du bout du bec un espace approprié. Elle se couche sur le sol et invite le mâle à partager les délices de l'accouplement. Lui, toujours empressé de recommencer, accumule dans son immense bec épuisette les végétaux que sa dulcinée agence minutieusement.

Au terme d'environ trente jours d'une couvaison assurée par les parents, deux poussins, nus comme des vers, voient enfin le jour. Nourris de bouillie de poissons, ils ressemblent bien vite à d'abominables créatures préhistoriques noires. Pour se reposer un peu et ramener des prises plus nourrissantes, les valeureux parents sont autorisés vers la troisième ou quatrième semaine à confier leurs rejetons à une

garderie gérée par la communauté. À leur retour de la pêche, ils veilleront à bien reconnaître leurs chérubins car ceux-ci, sans doute obnubilés par leur insatiable appétit, sont incapables de reconnaître leurs parents. Dans ces tristes conditions, ils sont abandonnés à leur sort et condamnés à mourir.

Dès leur deuxième mois d'existence, déjà aptes à nager et à pêcher, les jeunes se familiarisent avec ces élégantes poursuites collectives, ces harmonieuses chorégraphies qui ont rendu le pélican blanc si célèbre.

Ainsi, activité après activité, ces jeunes becs jaunes apprennent la nécessité du fameux « Tous pour un, un pour tous » des célèbres mousquetaires, ce qui leur permettra de compter parmi les plus grandes réussites de a survie sur terre...

Un peu en retrait, l'impétueux amoureux des premières heures jure, mais un peu tard, qu'on ne l'y reprendra plus et que mieux vaut procéder avec les camarades. Même en amour, le pélican blanc préfère le collectivisme à un individualisme intempestif...

Caractéristiques

Le pélican blanc d'amérique : *Pelecanus erythrorhynchos • American White Pelican.* Tout blanc, sauf le bout des ailes noir, long bec orné d'une poche gulaire dénudée. distribution : du sud-ouest du Canada jusqu'au sud de la Californie. Hiverne au sud des États-Unis jusqu'au Guatemala.

même en amour, le pélican blanc
préfère le collectivisme
à un individualisme intempestif...

La talève sultane
de Nouvelle-Zélande

Membres de la famille des Rallidés, les talèves sultanes du sud de l'Europe, d'Afrique et de l'Inde mènent une vie familiale et sexuelle plutôt traditionnelle. Tous deux monogames, le père et la mère reconnaissent et éduquent leurs propres rejetons. Mais chez la cousine de la Nouvelle-Zélande, surnommée *pukeko* dans ce pays, c'est une tout autre histoire.

La fréquentation de leurs marécages parfois surchauffés par des fumerolles sulfureuses nous a permis d'observer des regroupements exotiques, de véritables communes où tout semble autorisé, où tout doit être partagé intégralement ou presque…

Comme dans toutes les mises en commun, les discussions et les débats durent être houleux avant que les intéressés en arrivent à départager les droits des uns et les devoirs des autres. Inévitablement, des divergences surgirent. Malgré un assez large consensus, quelques questions fondamentales pour la survie collective ne furent jamais résolues.

Aujourd'hui, deux grands modèles de ces communes attirent les amateurs et, bien sûr, quelques curieux en Nouvelle-Zélande. Certaines, plutôt éphémères, constituent de véritables rassemblements hétéroclites de dilettantes aux origines vagabondes privilégiant une anarchie quasi totale. La promiscuité sexuelle débridée est sublimée et regroupe une faune de beaux mâles dominateurs. Agressifs, ils ne savent pas restreindre leur appétit sexuel, manquent de délicatesse, et leurs abus conduisent tôt ou tard à l'instabilité, sinon à la dispersion du groupe.

Plusieurs individus déçus recherchent des attroupements aux structures plus solides, mais ouverts aux mœurs plutôt libres. Plus durables, ces associations de polygames regroupent une douzaine d'individus dont les mâles sont largement majoritaires. Tiraillés par une libido exigeante, les adultes se font accompagner d'une demi-douzaine

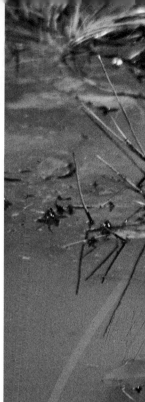

d'aides, des jeunes mâles et femelles immatures nés de liaisons précédentes. Ces bénévoles, à qui on interdit toute activité sexuelle, accomplissent diverses tâches, mais s'occupent surtout de la garderie. Là, les petits nouveaux grandissent sans oublier de jeter un œil intrigué et intéressé aux multiples activités des adultes consentants.

Beaucoup trépignent d'impatience et rêvent de partager, dès leurs premiers soubresauts hormonaux, cette vie où plus rien n'est à l'index et où les âges, les générations matures, les sexes ne connaissent aucune restriction, aucune frustration. Du moins le croient-ils !

Ils ont remarqué les rapports incestueux, les relations homosexuelles et, se sachant jeunes, ils se promettent quelques essais. Mais, assez rapidement, ils décèlent la présence d'une hiérarchie du plaisir. Petit à petit, ils découvrent que rien n'est parfait, même au sein du collectivisme le mieux planifié. Chagrinés, ils surprennent les affrontements musclés de quelques mâles désireux de s'accoupler avec une favorite. Certains se chargent de rappeler aux ambitieux un peu trop pressés qu'il convient, même en ces circonstances, de respecter les galons durement acquis par chacun. Ô tolérance, comme tes principes sont difficiles à appliquer au quotidien !

Au sein de la gent féminine, le statut social demeure et doit être redéfini constamment. Quelle sera la plus dominante parmi toutes ces dominantes ? Chacune se croit autorisée à s'offrir égoïstement le plus grand nombre de partenaires avant de céder sa place à une autre aussi convaincue de ses droits et de ses charmes. Fécondée, chacune utilise à tour de rôle le nid commun, parfois agrémenté d'une double coupe, pour y déposer ses œufs. Peu après l'éclosion, tous les membres du club doivent s'occuper des nouveau-nés et leur apprendre les règles en vigueur dans la commune où ils ont vu le jour.

Airsi, en Nouvelle-Zélande, pour des raisons encore obscures, une sultane, cette souveraine d'un empire ottoman depuis longtemps disloqué, se voit entraînée dans un mouvement de collectivisme égalitaire cue sa vie de privilégiée laissait difficilement présager. Mais, disent les spécialistes, la rareté des terres adaptées à leurs besoins de discrétion si particuliers les a obligées à ce sacrifice de la vie individuelle. Il fallait bien trouver une forme de compensation. Vivre dans le partage total des choses du sexe était-il alors un si mauvais compromis?

L'anhinga d'amérique

au cœur d'un bayou plutôt inhospitalier, de bien curieuses contorsions sur une robuste branche attirent notre attention. Progressivement, un cou noir se dessine, sinueux, démesuré, s'étire et laisse apparaître une tête qui se retourne et dévoile un bec au crochet recourbé. Un corps d'ébène et sa très longue queue légèrement rainurée font des clins d'ailes. À l'autre bout du marécage, un cou, puis une poitrine chamois lui font écho.

Alors, le mâle en remet, allonge un peu plus le cou tandis que ses ailes ondoient comme de lentes vagues. Monogame, comme la plupart des couples d'oiseaux, le duo répète les mêmes vœux, saison après saison. Parfois, quelques-uns, à peine émancipés, tout frais émoulus de l'adolescence, découvrent leurs premiers frissons à la vue de quelques représentants du sexe opposé et manifestement y prennent goût.

Bien dissimulé, j'épie ces habiles pêcheurs de plus de 1 m de longueur, aux mœurs si originales. Vénérés par les Amérindiens d'Amazonie, ces « oiseaux-d'eau-du-Sud », ces grands avaleurs de poissons ou de petites bestioles aquatiques leur doivent l'appellation d'Anhingidés.

Pour mieux contempler les ailes de charme d'une femelle déployées devant le soleil, retenu par le crochet de son bec, le mâle arc-boute ses larges pieds palmés dans le but de se hisser un peu plus haut. Soudain, grisés par ces préliminaires, les deux volatiles disparaissent sous les flots. Maîtres depuis des siècles de la régulation de l'air sous leurs plumes, ils connaissent les paliers au-delà desquels les caresses, les frôlements deviennent plus intimes. Je les devine sous l'eau, se saluant, s'admirant, s'épuisant de leur gracieux ballet, avant de percer, à bout de souffle, la surface de l'onde de leur interminable cou de serpent et, bruyamment, d'émerger et d'aspirer l'oxygène. Avec dextérité, chacun exhibe une belle prise, la jauge, s'en félicite et lance sa victime en l'air avant de l'avaler tête première. Aussitôt les anhingas font entendre des cris de crécerelle. Chacun proclame cette belle victoire de l'habileté, cette symbolique joute de la tendresse à laquelle nul ne peut perdre. Les rituels d'échanges se multiplient, puis soudain s'interrompent. Incapable, comme les autres oiseaux d'eau, d'imperméabiliser

ses plumes, l'anhinga doit régulièrement émerger de ses ébats amoureux ou de ses chasses sous-marines afin de consacrer un temps fou au séchage. Frustration rapidement transformée en jouissance quand la touffeur du jour fait déguerpir une myriade de grouillants parasites. Alors les rapprochements tendres reprennent. Pour mieux se séduire, ils remettent un peu d'ordre dans leur plumage et retournent silencieusement sous les algues. Le mâle en extase se rapproche pour copuler, il présente une offrande à la femelle, généralement une branchette, avant de se saisir délicatement de son bec. Immanquablement, la saison des amours chez le *Snakebird* s'accomplit dans le charme et l'élégance des mouvements toujours lents et ondulants. Une protubérance, qui sert de réserve alimentaire pour les futurs oisillons, lentement se distend sous leur gorge, favorisant l'émission de sons plus rauques, gutturaux, et traduisant des moments de félicité… Possessif, territorial, l'amant n'hésite jamais à livrer de cruels combats pour tenter de préserver une certaine intimité. Il veille ainsi sur une tranquillité nécessaire à la construction, sur une haute branche choisie par le couple, d'un gîte inaccessible aux prédateurs. Nid ample et plat, amorcé par le mâle qui, sans défaillir, tend une grande quantité de matériaux à sa belle, plus habile en finition. Toujours au-dessus des flots, ce nid sera retapé durant

des années, respectant les distances convenues avec les sept ou huit autres couples qui se partagent les lieux. Sociable tout de même, l'anhinga accepte la compagnie des aigrettes et des hérons. Moins occupé que sa compagne, le mâle s'aventure au milieu des courants ascendants. Il décrit des cercles planés de plus en plus petits qui le font disparaître à nos yeux tandis que, à son domicile, la femelle veille sur cinq beaux œufs d'un bleu vert crayeux. Oh ! bien sûr, il demeure sensible aux appels de détresse de sa douce et, si un importun surgit, du haut du firmament, après avoir replié son immense voilure, rageur, le père se jette comme une bombe sur tout intrus qui menace sa progéniture, et ce, sans considérer la taille de l'attaquant.

Il n'hésite jamais à remplacer la couveuse et, selon la tradition, à réchauffer les œufs de ses chaudes palmes. Conscient des multiples dangers des marais inhospitaliers, il se charge de prêter ailes fortes aux petites boules de ouate cotonneuse. Affamés, les petits exigent des pêches de plus en plus miraculeuses. Ils doivent grandir vite car leurs parents, pressés d'élever une seconde famille annuelle, leur indiquent déjà la sortie.

Oiseau serpent ou serpent de plume, comme un cadeau tant espéré, l'aningha s'est laissé surprendre durant ses amours. Ces instants avec lui, avec eux, m'ont appris la passion de ses admirateurs, leur hésitation entre de multiples appellations : dame grecque, bec à lancette, dardeur à ventre noir. Mais au sortir de cette forêt jungle, un nom dans mon esprit résonne plus que tout autre, un nom d'énigme, un nom légué par une langue qui, à l'instar de bien des trésors culturels, s'éteint hélas ! Anhinga.

Caractéristiques

L'anhinga d'amérique : *Anhinga anhinga* • *Anhinga*. Mâle : long cou démesuré, oiseau noir au bec effilé, rainures blanches sur les ailes. Femelle : cou et poitrine chamois, le reste du corps semblable au mâle.
distribution : sud-est des États-Unis, Amérique centrale et Amérique du Sud.

OISEAU SERPENT OU SERPENT DE PLUME,
COMME UN CADEAU TANT ESPÉRÉ,
L'ANINGHA S'EST LAISSÉ SURPRENDRE
DURANT SES AMOURS.

L'ombrette africaine

Il existe, en Afrique, un couple excentrique, extravagant, non classé et inclassable. Même le plus récent ADN, ce marqueur génétique qui identifie chacun des êtres vivants, s'égare à son sujet et, incapable de préciser ses véritables origines, suggère de le situer quelque part entre le héron et le flamant. Le Français, ayant un penchant pour le romantisme, s'est inspiré de son plumage sombre pour le nommer « ombrette ». L'Anglais, plus pragmatique, s'est laissé impressionner par l'aspect étrange de son bec contrebalancé à l'arrière par une crête volumineuse que l'Afrikaner appelle *Hamerkop* et qui devient *Hammerhead* dans la langue de Shakespeare. Quel que soit le nom qu'on lui donne, l'ombrette semble avoir emprunté les pièces de son anatomie à un grand nombre d'espèces pour réaliser un gabarit si unique que les experts en perdent leur latin et l'appellent *Scopus umbretta*.

Complètement insensé, mégalomane, compulsif, incapable de demeurer inactif, le couple ombrette ne pense qu'à ériger des gratte-ciel toujours plus grands, toujours plus complexes et dont l'architecture ne cesse de se modifier. À peine croit-il avoir accompli une œuvre exceptionnelle qu'il en entreprend une nouvelle et multiplie ses constructions au cours de l'année sans s'occuper de ses besoins réels de nidification. Plusieurs de ses œuvres demeureront inachevées pour des raisons obscures, tandis que les plus volumineuses, particulièrement résistantes et capables de supporter le poids d'un homme corpulent, seront réutilisées pendant des années. Les plus remarquables édifices constitués de milliers d'objets — certains analystes en ont dénombré plus de huit mille — atteignent plus de cent fois le poids de l'oiseau. Les amoureux peuvent travailler jusqu'à six semaines à cette réalisation toujours effectuée en commun.

Dans certaines régions où les corvées sont des gages de bon voisinage, une petite communauté se joint aux tourtereaux pour mettre le bec à la pâte. Le couple est si affairé à produire qu'il en néglige la surveillance et laisse une foule de squatters, mammifères, reptiles ou autres volumineux oiseaux, s'installer gratuitement dans ces luxueux appartements.

Pour se convaincre de l'utilité de ses œuvres, il s'invente même de fausses partouzes au cours desquelles, dans un désordre qu'on soupçonne planifié pour maintenir les liens matrimoniaux, il parodie des coïts sans jamais aller jusqu'à l'acte complet. Ici, tout est permis ou presque, semble-t-il proclamer. Alors, dans un enchevêtrement de contorsions acrobatiques, les jeux aux cent une positions se succèdent. Femelle au-dessus, mâle au-dessous, positions inversées ou plus standardisées, jamais leurs cloaques ne se rencontrent, à l'exception de ce temps béni où il convient de faire des petits.

C'est le mâle qui, le premier, donne le signal en battant des ailes, en relevant et en abaissant la crête vers sa dulcinée et en entreprenant un vol érotique accompagné d'appels. La femelle ne doit cependant pas s'émoustiller trop rapidement, car ce maître des faux espoirs peut tout simplement mettre un peu de piquant dans une répétition sans lendemain. Abandonner une fiancée un peu trop engagée ne le tourmente guère. Mais si, ô hasard du destin, il s'agit d'une véritable poussée hormonale pouvant survenir en tout temps de l'année, alors là, rien ne pourra les détourner, ni lui ni sa compagne, de leur torride passion.

Ce couple un peu jet-set, avec ses goûts de fréquents changements de domicile et ses partouzes faites pour le plaisir, s'est répandu en Afrique où il est maintenant omniprésent. Tout ce qui traîne dans les parages, du matériau le plus hétéroclite au plus conventionnel, risque de se retrouver dans son nid, pourvu que l'objet soit transportable dans l'un ou l'autre de ses édifices baroques.

Comment un tel délire peut-il se concevoir dans une cervelle d'oiseau ? S'agit-il d'un collectionneur un peu maniaque, délirant pour tout ce qui lui semble beau et lui permet de compenser son manque d'attrait érotique ? S'agit-il d'un constructeur compulsif ou alors d'un amoureux éconduit ? Aurait-il découvert instinctivement un exutoire pratique pour se libérer de ses trop fortes pulsions sexuelles ou n'est-ce tout simplement pour lui que pure tocade de *Hammerhead* entêté ? Jusqu'à ce jour, nul n'a su résoudre l'énigme !

Caractéristiques

L'ombrette africaine : *Scopus umbretta • Hamerkop.* Oiseau d'un riche brun sépia ; bec et pattes noirs ; tête ornée d'une huppe caractéristique. **DISTRIBUTION :** Afrique du Centre au Sud, Madagascar.

L'aventure commence au début de mars en Colombie, au Brésil ou plus rarement aux Antilles, lorsqu'un mâle solitaire, mais rapidement rejoint par de nombreux congénères, ressent les premières pulsions reproductrices. Grisé par des courants aériens ascendants, il succombe à l'appel du Nord et s'élève à des altitudes telles que l'observateur perd sa trace. Puis, doucement, l'oiseau laisse sa large voilure, passée en mode de pilotage automatique, le porter au-delà des nuages en direction de sa terre natale. Aussitôt, il reprend possession de son aire de reproduction en multipliant les patrouilles aériennes et en lançant des cris perçants, puis en consolidant le robuste nid des années précédentes, lequel peut atteindre plus de 1,50 m de diamètre.

Une femelle, arrivée sur les entrefaites, s'affaire à tapisser l'intérieur de mousse, de brindilles et d'écorce aux couleurs vives. Ainsi débute une relation au cours de laquelle les partenaires vont s'apprivoiser, s'apprécier, puis s'aimer follement ou bien se séparer à tout jamais. Confortablement installée au nid, désireuse de voir ses rejetons bien nourris, la future mère observe l'habileté de son fiancé. Insistante, elle exige de recevoir un minimum de deux ou trois poissons de qualité par jour. Tout pêcheur incapable de répondre à cette exigence verra son étoile pâlir et ses chances d'accouplement diminuer. Il sera abandonné au profit d'un sujet plus doué ou plus expérimenté.

Les premières approches pour coïter se font tôt le matin. Le prétendant étreint délicatement le dos consentant avec ses serres en battant vigoureusement des ailes. Les grisants enlacements se répètent plus de vingt fois par jour pendant au moins trois semaines, dépassant largement les besoins de la reproduction. Le devoir, c'est bien, mais c'est tellement plus agréable d'y joindre le plaisir !

Un couple plus jeune se montre plus réservé, non par manque de désir, mais parce qu'un jeune balbuzard est souvent réticent à dépenser une telle énergie pour satisfaire la gourmandise d'une inconnue qui peut le quitter à tout moment. Des mâles qui en ont vu d'autres, rusés et un tantinet profiteurs, multiplient les offrandes nourrissantes pour se réserver l'exclusivité en cette période où leur dulcinée est la plus fertile et la mieux disposée pour engendrer une vigoureuse progéniture. Ces attitudes contradictoires varient selon les tempéraments et les circonstances, bien sûr, mais surtout selon la facilité à ramener des proies.

Alors s'installe la routine commune à bien des couples ailés : la mère assure l'incubation tandis que le père accomplit de nombreux va-et-vient entre la cuvette hurlante et son lieu de pêche favori. Accueilli par des chuintements aigus et approbateurs, il tend la prise que la nourrice s'empresse de déchiqueter pour les petits. À l'occasion, elle s'éloigne du nid pour mieux déguster dans la tranquillité et apprécier la saveur d'un tendre filet de truite. Elle laisse brièvement le paternel goûter les joies et les obligations de la couvaison ou de la garde des enfants.

Le plus souvent monogames, certains ambitieux s'emparent néanmoins de plates-formes voisines pour veiller à la saine alimentation de deux femelles et satisfaire en prime leur grand appétit sexuel. Ô, phéromones ! que de tourments n'avez-vous pas inconsciemment déclenchés !

C'est habituellement vers la sixième semaine que le plus costaud compagnon montre des signes de surmenage, parvenant de moins en moins aisément à apaiser les cris stridents des insatiables gloutons. Compatissante, pour la première fois depuis son arrivée dans le territoire de reproduction, madame participe à la pêche.

Un jour, enfin maîtres de leur destin, les jeunes vont se joindre à l'assemblée des grands emportée par les courants du Sud. Attentifs, ils mémoriseront ce long trajet qui les ramènera au pays où l'amour unit les couples balbuzards par un lien que seule la mort parvient à rompre.

Caractéristiques

BALBUZARD PÊCHEUR : *Pandion haliaetus • Osprey*. Grande taille, dessus brun foncé et dessous blanc ; tête blanche, traversée par un large bandeau foncé, étoile brune sur le dessus de la tête. **DISTRIBUTION** : régions tropicales et tempérées de tous les continents.

La tourterelle

Il existe des boutiques qui nous réservent de bien belles surprises ; leurs vitrines sont conçues pour nous étonner et nous accueillir d'agréable façon. C'est ainsi que j'en ai découvert une au seuil de laquelle j'ai été salué par des roucoulements et des gloussements rieurs. Enjoué et parfaitement à l'aise, un duo de tourterelles invite les clients à s'attarder en sa compagnie.

Il y a fort longtemps, quelque part en Égypte, les ancêtres de ces oiseaux gracieux ont perdu leur liberté de sauvageonnes. Parfaitement à l'aise au milieu des pierres précieuses de ce lieu de beauté, elles rappellent qu'elles n'existent maintenant que dans la captivité. Plus petites, plus sveltes et plus élégantes que le pigeon familier, les tourterelles rieuses ont, sans doute grâce à leur domestication, raffiné leurs gestes et acquis la sensualité de cette voix un peu étouffée qu'on leur connaît. Elles se parlent langoureusement, puis rigolent en cascades.

Pour le confort des lieux, une fenêtre demeurée ouverte laisse pénétrer quelques chuchotements. Au-dehors, des cousines plus libres, des tourterelles tristes bavardent. On distingue sur le cou du mâle une tache iridescente contrastée et rosée tandis que la femelle porte une plus petite parure verdâtre.

Un peu plus loin, perché bien droit, un célibataire répète une longue complainte aux accents plutôt tristes que seule une compagne pourra apaiser. Les plumes de la gorge toutes gonflées, inlassablement, il reprend ses suppliques. Au loin, une voix plus douce, finalement, lui fait écho. Une jolie femelle se rapprochant, il quitte aussitôt son perchoir, bat bruyamment des ailes en produisant de sourds claquements. On croirait entendre battre son cœur. Enivré par ce premier succès, il multiplie les glissades en spirale, gagne de l'altitude et répète jusqu'à l'épuisement le périlleux manège de la séduction.

Finalement conquise, la gracieuse se rapproche, saisit le bec du prétendant, lui imprimant en cadence des mouvements évocateurs. Réconforté, l'élu roucoule maintenant et propose de participer à la confection d'un gîte douillet. Alors se multiplient les battements d'ailes approbateurs, les accolades achevées par des toilettages mutuels subtilement élaborés pour sceller l'engagement définitif.

Consentante, la courtisane attend que son vaillant chevalier sélectionne les meilleurs matériaux. L'endroit est isolé et les logis sont parfois regroupés en condos. Le *Mourning Dove* lui apporte une à une de petites branches et des brindilles qu'il glisse délicatement par-dessus l'épaule mais jamais par-devant. Timidité excessive, approche coquine ou raffinement du geste et du sentiment, nul n'est encore parvenu à percer le mystère qui perpétue la réputation du rusé séducteur. Ragaillardi par son audace, il tente le geste qui peut tout sceller ou tout rompre et se pose délicatement sur le dos de la femelle maintenant conquise.

Bientôt, à l'apparition d'un ou deux œufs tout blancs, les parents suivent l'éternel rituel de l'incubation. Le mâle est de garde de 9 h à 5 h pour l'incubation de jour et, désireux de se montrer généreux, il laisse à la femelle le privilège de passer toute la nuit auprès de ses petits. Les changements de garde sont établis selon un horaire précis que tous les observateurs prennent plaisir à noter. Dès l'apparition des oisillons, stimulé par des hormones semblables à celles des mammifères, chaque parent sécrète un succulent lait de jabot communément appelé « lait de pigeon ». Riche en protéines et en gras, ce régal est rapidement remplacé par des graines ou des insectes partiellement digérés que le parent régurgite dans les gosiers affamés.

Enfin prêts à faire face au défi d'une existence autonome, les jeunes se joignent à des groupes d'amis pendant que les parents, encouragés par les succès de leurs premières amours, entreprennent d'élever une deuxième famille. Quant aux tourterelles rieuses, elles peuvent élever dans de douillets intérieurs jusqu'à sept ou huit couvées par année.

Tourterelles dont les roucoulements et les gémissements dans toutes les langues traduisent l'amour. Tourterelles énigmatiques parmi lesquelles les captives sont rieuses, tandis que les hôtes de nos jardins et de nos prés pourtant si accueillants demeurent tristes. Depuis toujours, les légendes ont échoué dans leurs tentatives de démêler ces écheveaux entre le rire et la tristesse. Encore de nos jours, combien de tourtereaux de tous les horizons aiment entrevoir dans leur comportement un gage d'amour et de fidélité ? Laissons-les rêver !

Caractéristiques

La TOURTERELLE RIEUSE : *Streptopelia roseogrisea* • *Ringed Turtle Dove.* Plus petite que le pigeon, plumage beige clair, croissant noir à l'arrière du cou, roucoulements rieurs. DISTRIBUTION : oiseau de volière, principalement. Page 143.

La TOURTERELLE TRISTE : *Zenaida macroura* • *Mourning Dove.* Plus petite que sa cousine rieuse, plumage grisâtre et mordoré, queue pointue bordée de triangles blancs, gémissements langoureux. DISTRIBUTION : depuis le sud du Canada jusqu'au Panama et aux Antilles. Pages 142, 144 et 145.

Depuis des temps immémoriaux, les gens la connaissent. De nombreux peuples la célèbrent et la vénèrent en raison de l'immense dette qu'ils ont contractée envers cette infatigable porteuse de bébés. Elle fait partie d'une grande fratrie composée de dix-sept espèces qui possèdent un bec droit, sauf la cigogne d'Amérique, dont l'appendice est recourbé vers le bas. Serait-ce à cause de cette défaillance anatomique que cette étonnante créature, menacée par la disparition de ses terres humides et la saturation de ses aliments par les produits chimiques, n'a jamais eu la responsabilité de transporter les bébés américains ?

Premiers sur les lieux de reproduction, les mâles les plus expérimentés retrouvent année après année leurs volumineux nids de quelques centaines de kilos. Construits sur la cime des arbres, sur les plus hauts clochers ou au-dessus des cheminées, ces ouvrages de plus de 2 m de diamètre et de hauteur nécessitent toujours des consolidations à leur retour. De conflits en discussions, les mâles doivent se hâter : dans une semaine les femelles seront là.

Dès l'arrivée des fiancées, l'atmosphère change ; les belligérants d'hier, oubliant leurs litiges, s'empressent de se présenter sous leurs plus beaux atours. Alors se multiplient les craquètements de becs, les étalements d'ailes, les renversements de la tête sur le dos, laquelle, apparemment mue par un ressort, est ramenée vers le bas. Les partenaires s'étudient, observent leurs chorégraphies avant de reprendre rapidement, et dans la plus grande harmonie, chaque geste, chaque mouvement de l'amour naissant ou de la passion retrouvée. Pour cette entreprise de séduction, le temps leur est compté, les préliminaires doivent être brefs puisque cette nuit sera celle des premiers accouplements.

Grisés par l'atmosphère un peu carnavalesque des voisins de palier, par les claquements de mandibules qui, comme des castagnettes, encouragent les ébats, les amants se laissent

entraîner dans une frénésie quelque peu orgiaque. Sur ces nids dont l'intimité demeure bien relative, mâles et femelles se mordillent mutuellement le bec et les plumes du cou. Au sommet de l'excitation, le conquérant, à la manière d'un acrobate gonflé à la testostérone, se hisse sur le dos de sa conquête, bat des ailes pour éviter de se casser le cou, mais surtout pour maintenir un équilibre que chaque faux mouvement peut compromettre.

Longtemps citées en exemple comme d'exceptionnels modèles de la fidélité conjugale et de la fécondité, les cigognes ont fini par avouer aux scientifiques d'aujourd'hui que leur véritable attachement se résumait à revenir au nid de leurs amours. Dommage que le matérialisme et le pragmatisme des temps modernes soient parvenus à contredire cette légende tenace, car il était émouvant de s'imaginer que les seuls sentiments du cœur poussaient ces messagères ailées chargées d'enfants à les porter jusqu'à leurs parents.

Au rythme de leur disparition, combien d'autres légendes n'ont-elles pas été emportées dans leur retraite, privant les humains de ces grains de folie et de merveilleux qui, il n'y a pas si longtemps, alimentaient les différences.

Elles sont bien charmantes, cette désignation hollandaise de « porteuse d'âmes » et cette extraordinaire croyance selon laquelle le pouvoir de son regard rendrait fécondes les Orientales. Croyances naïves et démodées, certes, mais ne méritent-elles pas une place au panthéon des héritages légués aux générations futures ?

Caractéristiques

La CIGOGNE BLANCHE : *Ciconia ciconia • White Stork.* Grand oiseau blanc élancé, bout des ailes noir, bec et pattes rouge orangé, œil souligné de noir. **DISTRIBUTION :** Inde, Afrique, Europe. ⋏

neigeuse américaine, aigrette bleue ou roussâtre, toutes se distinguent par la finesse et les dentelures de leurs longues plumes effilées aux barbes espacées.

Nous sommes au temps des amours, ce bref intermède de l'existence où chaque mâle doit se démarquer, se faire plus désirable que ses voisins afin de capter l'attention d'une belle et s'associer à son désir de donner la vie. Ses vocalises criardes n'ont rien de particulièrement érotique pour des humains. Son plumage, certes magnifique, bien que semblable à celui de ses pairs, — les mâles et les femelles sont quasi identiques —, accentue son anonymat.

Mais, nous dit notre accompagnateur, depuis quelques jours, la pousse rapide de longs filigranes, des plumes solidement arrimées sur le dos et envahissant le cou et la nuque, personnalise chaque compétiteur. Aériennes et sensuelles, ces étincelles de la séduction n'en finissent plus de se multiplier pour bien démarquer le niveau hiérarchique de chacun en cette étape cruciale de l'aventure nuptiale. Cette élégance aussi soudaine qu'éphémère, ce dialecte de l'amour vise à préciser auprès de la femelle attentive la pureté du bagage génétique du futur père, si importante pour ses rejetons. Mais depuis que le monde est monde, ces ramures exubérantes servent surtout à sélectionner ceux qui sont les plus aptes à favoriser l'évolution de l'espèce. Complices, les brises et les tourbillons modulent à l'infini le rythme de ces virevoltes qui feraient chavirer le cœur des plus insensibles. Dès qu'une femelle apparaît, la voilure du mâle se hérisse, tel un éventail de gala, et décuple les rais de lumière que la cadence reptilienne du cou fait tressaillir à chaque

Notre canoë glisse sur l'eau d'un marais bordé de racines aériennes, ces asperges géantes caractéristiques des palétuviers. Des silhouettes s'agitent tout près ou dans les arbres, virevoltent comme d'agiles ballerines. Sur les plus hautes branches, quelques sentinelles, immobiles et attentives, rassurent leurs troupes. Elles reconnaissent le canoë, mais surtout la voix calme et monocorde du guide.

Ils sont vraiment différents, ces oiseaux qui ressemblent à des hérons, ces aigrettes si joliment appelées *aigreta* dans la pittoresque langue occitane. Grande aigrette, aigrette garzette européenne, aigrette

enjambée. Une telle maîtrise dans l'art du paraître et de la séduction attire immanquablement l'œil jaune d'une conquête.

Séduction qui a su jadis s'ajouter aux parures d'une époque et déclencher un engouement frénétique pour la plume vaporeuse. En toutes circonstances, les gradés, les rois et les reines, les belles de ce monde ont voulu ressembler aux aigrettes de l'amour. Convaincus de l'infaillible pouvoir de ces plumes qui rendent noble et irrésistible, tous ont succombé à des attentes immodérées. Mode frivole qui faillit perdre à jamais les malheureux volatiles. Au milieu du siècle dernier, de sévères réglementations ont stoppé ces cupides carnages afin d'assurer un avenir aux élégantes porteuses de plumes.

Grégaires, les aigrettes nichent en colonies, là où le brouhaha de l'agitation communautaire est essentiel à leur reproduction. Dans les grands arbres du marais apparaissent à des hauteurs variables des assemblages de brindilles où sont déposés les œufs de la relève. Récemment parés de ces délicates plumes, qui constituent l'atout véritable du charme sensuel de l'espèce, les deux parents assurent à tour de rôle la garde de la couvée. Bientôt semblables aux adultes, hormis les atours de l'amour, les adolescents vont observer leurs parents, copier leurs faits et gestes, assimiler les secrets de leur vie et rêver du jour où, enfin devenus grands, ils ressentiront ces frémissements exquis des plumes ballerines.

La **grande aigrette** : *Casmerodius albus* • *Great Egret*. Grand échassier blanc, bec jaune, pattes et doigts noirs. **DISTRIBUTION** : tous les continents, sauf au Canada, au nord de l'Europe et au nord de l'Asie. *Pages 150 (en haut), 151, 153 (en haut) et 154-155.*

L'**aigrette garzette** : *Egretta garzetta* • *Little Egret*. Plus petite que l'aigrette intermédiaire, bec et pattes noirs, doigts jaunes. **DISTRIBUTION** : Afrique, Asie du Sud, Australie, Nouvelle-Zélande. *Page 153 (au centre).*

L'**aigrette neigeuse** : *Egretta thula* • *Snowy Egret*. Semblable à l'aigrette garzette sauf pour la distribution. **DISTRIBUTION** : des États-Unis jusqu'au sud de l'Amérique du Sud. *Pages 150 (en bas), 152 et 153 (en bas).*

en toutes circonstances, Les gradés, Les rois et Les reines, Les belles de ce monde ont voulu ressembler aux aigrettes de L'amour.

En cette heure d'un petit matin au nord de l'Inde, la lumière enfin s'aventure jusqu'à nous. À un carrefour, quelques veilleurs de nuit de la réserve de Bharatpur achèvent leur quart de garde. Ils agitent un peu les braises et nous offrent leur thé brûlant. Après la poignée de main et le hochement de tête typique d'un consentement dans cette région, les guides nous entraînent vers l'étroit sentier bordé de hautes herbes, de ronces et d'épines. Pour nous, l'horizon se retire là où, pour eux, la nature n'a jamais abandonné ses lois ni ses droits.

Soudain, des cris puissants se font entendre et, l'écho les reprenant en chœur, une alerte se déclenche... *Minh-ao! minh-ao!...* entendent nos amis indiens; *Méo! Méo!...* perçoivent nos oreilles occidentales.

À notre gauche, un arbre immense abrite le reposoir d'une troupe du célèbre oiseau de couleur, le paon bleu, le *mor mayura* comme les gens de ce pays appellent leur oiseau emblème.

Pour ce *Peacock* qui se montre très individualiste le jour, la nuit permet de resserrer les liens familiaux, de se rassurer en confiant sa survie à l'excellente vue et à l'ouïe exceptionnelle, mais surtout à la puissante voix de vigiles très efficaces.

Mais en cette saison des amours, les paons ont mieux à faire. La chose est sérieuse et chaque mâle se retire maintenant sur ses terres. Il se réserve un espace assez vaste pour qu'il puisse bien accomplir ses parades de séduction. L'endroit doit être dégagé pour qu'il puisse mieux jauger ses compagnons d'aujourd'hui et voir venir de loin ses concurrents de demain. Une femelle doit toujours être accueillie avec les hommages réservés aux invitées de marque. Le plus bel oiseau du monde, capable de faire miroiter les plus subtiles gammes de rouge, d'orangé, d'ocre, de brun, de noir, ne saurait décevoir. Depuis des siècles, ses ancêtres sont les champions incontestés d'une des plus spectaculaires parades nuptiales.

Ne possède-t-il pas une des têtes les mieux réussies du milieu ornithologique? Pour mettre en valeur cette tête masquée de noir et de blanc et couronnée d'une crête si délicate, il gonfle

orgueilleusement le cou. Attirés par cet instant de charme et d'élégance, quelques rayons de soleil affleurent sur son encolure d'un bleu métallique et, avec délice, folâtrent parmi les prismes des cent cinquante plumes de sa traîne longue de plus de 1 m. Celle-ci se déploie aussitôt en une roue d'une beauté telle que son propriétaire se retourne pour faire frémir et murmurer chacune de ses parures. Ornées d'ocelles, ces spatules dessinées en forme d'œil, ces faux regards qui réussissent parfois à tromper l'ennemi multiplient les œillades pour le plaisir de mieux séduire. Spectacle grandiose qui s'achève par l'élévation de l'éventail de ses plumes vertes derrière le cou, mouvement qui en multiplie les reflets et en décuple l'inestimable beauté.

Conquise par tant de majesté, la femelle se laisse choir au sol et, délicatement recouverte par l'immense traîne, accomplit l'acte ultime de cette mise en scène à nulle autre pareille, cet acte de l'amour. Mais une maîtrise aussi raffinée des jeux de lumière

et de séduction ne peut se satisfaire d'un auditoire restreint. Ce réalisateur de renom, cette grande vedette du spectacle, n'est cependant pas seul. N'ayant pas l'habitude de la modestie, il se considère comme le plus apte à satisfaire le plus grand nombre de courtisanes et le dépositaire du meilleur bagage génétique qui soit. Faute de pouvoir compter sur des règles impartiales, le ton monte entre les prétendants, les litiges se multiplient. Alors, leurs ailes cannelle, courtes, larges, arrondies et puissantes, celles que les oiseaux réservent habituellement aux décollages d'urgence et à de courts déplacements en vol battu, deviennent de redoutables armes de combat. Beaucoup plus terribles que leurs trop courts ergots, durant les joutes entre rivaux elles assènent des coups qui départagent les expériences et les ambitions. Et il y a la récompense du vainqueur. Quoi de plus gratifiant que de voir accourir des admiratrices désireuses de partager les émois d'un heureux polygame ?

Vénéré par son harem, protégé en Inde pour des motifs religieux, le beau, le valeureux est aussi admiré pour son courage lorsqu'il affronte les serpents les plus dangereux. Sur le sentier du retour, nous le surprenons en train de défendre avec détermination sa légendaire réputation de tueur de cobras. À peine nos ombres et leurs silhouettes ont-elles regagné le feu crépitant des gardiens qu'à mots chuchotés ils nous confient les innombrables croyances rattachées à l'oiseau dieu. Au loin, les voix de la nuit se font entendre : Méo !... Méo !... Les paons vigiles sonnent la première alerte, les doux intermèdes de l'amour sont choses du passé...

Caractéristiques

Le paon bleu : *Pavo cristatus • Peafowl.* Oiseau spectaculaire bleu profond. Mâle : longue traîne multicolore ornée d'ocelles, aigrette érectile sur le dessus de la tête. Femelle : plutôt brunâtre, traîne beaucoup moins longue, aigrette moins colorée. **DISTRIBUTION :** à l'état sauvage, Inde, Sri Lanka.

Il arrive parfois que le paon bleu naisse tout de blanc vêtu, comme le sujet albinos de la photo de la page 158 à gauche.

EN CETTE HEURE D'UN PETIT MATIN AU NORD
DE L'INDE, LA LUMIÈRE ENFIN S'AVENTURE
JUSQU'À NOUS.

Les scientifiques le nomment *Aix sponsa,* du substantif grec *aix* pour « oiseau d'eau » et du latin *sponsa*, « le fiancé ». Un fiancé bien éphémère, puisque ses engagements durent à peine une saison et reposent essentiellement sur l'apparence. Mais quelle apparence !

Exclusif à l'Amérique, familièrement appelé *Woodie* par nos voisins du Sud, il est sans conteste le plus beau canard au monde, suivi de près par son proche cousin, le canard mandarin, l'*Aix galericula* d'Asie orientale. En plumage nuptial, d'octobre à juin, ce fiancé huppé compte sur sa splendeur exceptionnelle pour attirer et séduire les femelles. Celles-ci, afin d'assurer la sécurité de leurs petits et préserver le camouflage familial, s'accommodent d'un plumage plus modeste.

Mais, comme pour bien d'autres êtres vivants, être trop beau, c'est trop, et l'extraordinaire perfection des coloris du mâle faillit jadis être fatale à toute l'espèce. Au cours du XIXᵉ siècle, le canard branchu devint très populaire auprès des humains, séduits par l'exceptionnelle beauté de ses plumes et la saveur de sa chair tendre. À tel point que, chassé et persécuté, il frôla l'extinction. Il est maintenant plus difficile à observer dans son milieu naturel et s'y fait d'ailleurs très discret. Plusieurs le croisent uniquement près des étangs « civilisés » et dans des parcs où sa présence obligée devient un gage de bon goût.

Frileux, le couple déserte les lieux de ses amours, prenant la direction du Sud dès les premières gelées automnales. Tous deux se séparent ensuite pour entamer, chacun de leur côté, les prémisses d'une nouvelle aventure saisonnière. Les rencontres se multiplient, mais le temps passe si vite qu'à peine engagés dans une nouvelle relation, ils doivent mettre le cap vers les régions septentrionales. Parfois, durant le long périple du retour, vers la fin de mars ou le début d'avril, un des promis s'égare. Plusieurs fiancées déçues regrettent leur choix et trouvent des

prétextes pour s'absenter et filer à l'anglaise. Les délaissés s'affolent d'autant que la tâche s'avère beaucoup plus difficile pour les beaux mâles, dont le nombre dépasse largement celui des femelles.

Dès leur retour au marais, pour mieux cimenter leur union, les tourtereaux reprennent les parades qui les ont un jour rapprochés, parades dont les acteurs sont les seuls à connaître les subtils raffinements. Snobisme ou prudence, cette discrimination, positive à leurs yeux, évite les hybridations. Les branchus craignent ces relations douteuses avec d'autres espèces de canards moins choyés par la nature et qui, infailliblement, risqueraient de compromettre leur légendaire beauté. Rassurée quant à son engagement auprès d'un authentique descendant de la race, la femelle choisit elle-même la cavité forée par un grand pic au sein d'un arbre abandonné. L'habitude que ce canard entretient de vivre dans les arbres lui a d'ailleurs valu son nom de « branchu ».

Même unis pour une simple saison, les amoureux, avant de donner la vie et pour accroître leur fécondité, se font un devoir de raviver la flamme. Le mâle, fier et un

tantinet orgueilleux, répète la jolie danse au cours de laquelle il élèvera sa superbe crête pour en doubler les dimensions. Il se pavane en oscillant la tête de droite à gauche. Tel un grand séducteur, il met en évidence ses magnifiques couleurs pour bien souligner qu'elles sont le résultat de quelques adaptations personnalisées.

Cette agitation attire les curieux autour de lui. Le mâle doit se méfier des célibataires, des esseulés, des mal assortis qui rôdent et surveillent la moindre distraction de sa part. Seuls les plus talentueux et les plus vigilants pourront se vanter d'avoir contribué à perpétuer une espèce qui faillit disparaître à jamais: le plus beau canard du monde, le canard branchu.

Caractéristiques

Le **canard branchu** : *Aix sponsa* • *Wood Duck.* Canard multicolore remarquable, très longue huppe, œil rouge ou vermillon; femelle beaucoup plus terne, cercle blanc autour de l'œil. **distribution** : sud du Canada, États-Unis, nord du Mexique.

teL un grand séducteur, iL met en évidence
ses magnifiques couLeurs pour bien
souLigner qu'eLLes sont Le résuLtat de
queLques adaptations personnaLisées.

Malard et colvert sont deux appellations courantes pour un même canard, ou plutôt pour des centaines de millions d'individus répandus sur toutes les terres humides d'Amérique du Nord, d'Europe et d'Asie. C'est l'espèce de sauvagine la plus connue et la plus recherchée par les fusils, par les gastronomes ou par les simples « orniguetteurs ».

Mais ils sont également poursuivis par une foule de curieux paparazzi, attirés par toutes les rumeurs et les légendes les concernant qui racontent leurs performances sexuelles. Il est vrai que cet anatidé est assez porté sur la chose. Dans les revues spécialisées, on vante ses mœurs libres dont les excès, il faut bien l'avouer, font des envieux.

Le colvert s'accouple avec n'importe qui, pourvu que ce soit un canard. On le désigne d'ailleurs comme l'ancêtre de tous les canards domestiques. Ses aventures sexuelles avec le canard noir sont si fréquentes et si assidues qu'elles interfèrent dans la reproduction de ce dernier et restreignent sa progéniture. La question est si sérieuse que le malard pourrait être tenu responsable de la disparition du canard noir, dont les propres rejetons se font de moins en moins nombreux.

En ce mois de février, je les observe se mordiller, se poursuivre, s'étirer, plonger, ressortir, patiner sur la surface glacée et cancaner à qui mieux mieux. Aucun doute, cette frénésie collective et presque débridée d'une centaine de joyeux lurons et luronnes annonce le début de leur saison amoureuse. Dans cette arène hivernale où les effluves chauds des cités favorisent les eaux libres de glace à longueur d'année, leur poussée de testostérone devance celle de leurs semblables. Les canards envolés vers le Sud plus clément retrouveront les aires septentrionales de nidification à partir de la fin de mars et jusqu'au début d'avril.

Monogames d'une saison ou d'une occasion, les couples succombent facilement aux tentations d'une promiscuité qui, à tout moment, expose les épidermes et les plumes aux frôlements et multiplie les occasions suggestives. Un surnombre qui favorise la formation de groupes de mâles surexcités, des gangs de véritables prédateurs sexuels qui se suivent et s'encouragent dans leur activité principale, le viol collectif. Des viols déchaînés et

assez traumatisants pour les témoins non avertis, tant la victime de ces abuseurs est secouée, fait pitié. Ces agressions, souvent réalisées lorsqu'un camarade s'est éloigné pour faire les courses, expliquent les paternités hétéroclites d'une même fratrie. Au moment où les mères consciencieuses couvent leurs jolis œufs, les courses représentent une occasion pour ces êtres volages mais suffisamment gaillards de succomber à quelques copines au teint châtain, au corps rehaussé de cannelle et zébré de bandes noires. Le phénomène prend une ampleur pratiquement épidémique et toucherait plus de la moitié des familles.

Chaque année, la femelle retourne vers la même aire de nidification, ordinairement suivie de son dernier amant. Cette fidélité aléatoire conduit de pauvres bougres dans des régions qui leur sont inconnues et dans des lieux où, dépaysés, ils doivent défendre contre les habitués du coin un périmètre territorial réservé par d'autres à l'ensorceleuse. Souvent, les choses tournent

au vinaigre pour le malheureux amant « greffon ». Cette espèce s'attache à tout objet mobile rencontré dès sa sortie du nid, surtout si les teintes de l'objet en question se composent de vert ou d'orangé. Les méprises du colvert peuvent le mettre dans des situations cocasses, quand, par exemple, cette bombe sexuelle tente de s'accoupler avec un oiseau d'une autre espèce ayant les mêmes couleurs que celles de ses tuteurs.

Oiseaux aux mœurs libérées ou débridées, les uns portés aux excès, les autres à la soumission, au moment de quitter la rivière à demi gelée, les canards colverts ont des prises de bec qui semblent devoir s'éterniser.

Caractéristiques

Le **canard colvert** : *Anas platyrhynchos* • *Mallard Duck*. Mâle : tête verte, collier blanc, poitrine rouille. Femelle : brune, tachetée. Mâle et femelle ont un miroir bleu bordé de blanc sur les ailes. **distribution** : Europe, Asie, Amérique du Nord, Afrique du Nord-Ouest. *Pages 168, 169, 170, 171 (en haut, à gauche et à droite) et 172-173.*

Le **canard noir** : *Anas rubripes* • *Black Duck*. Semblable à la femelle colvert, mais plus foncé, miroir violet non bordé de blanc, mâle et femelle identiques. **distribution** : est de l'Amérique du Nord. *Page 171 (ci-dessus).*

DANS CETTE ARÈNE HIVERNALE
OU LES EFFLUVES CHAUDS DES CITÉS
FAVORISENT LES EAUX LIBRES DE GLACE...

table des matières

Achevé d'imprimer au Canada en mars 2003
sur les presses de Transcontinental Division Imprimerie Interglobe Inc.